A MÁQUINA DO TEMPO

H. G. WELLS
A MÁQUINA DO TEMPO

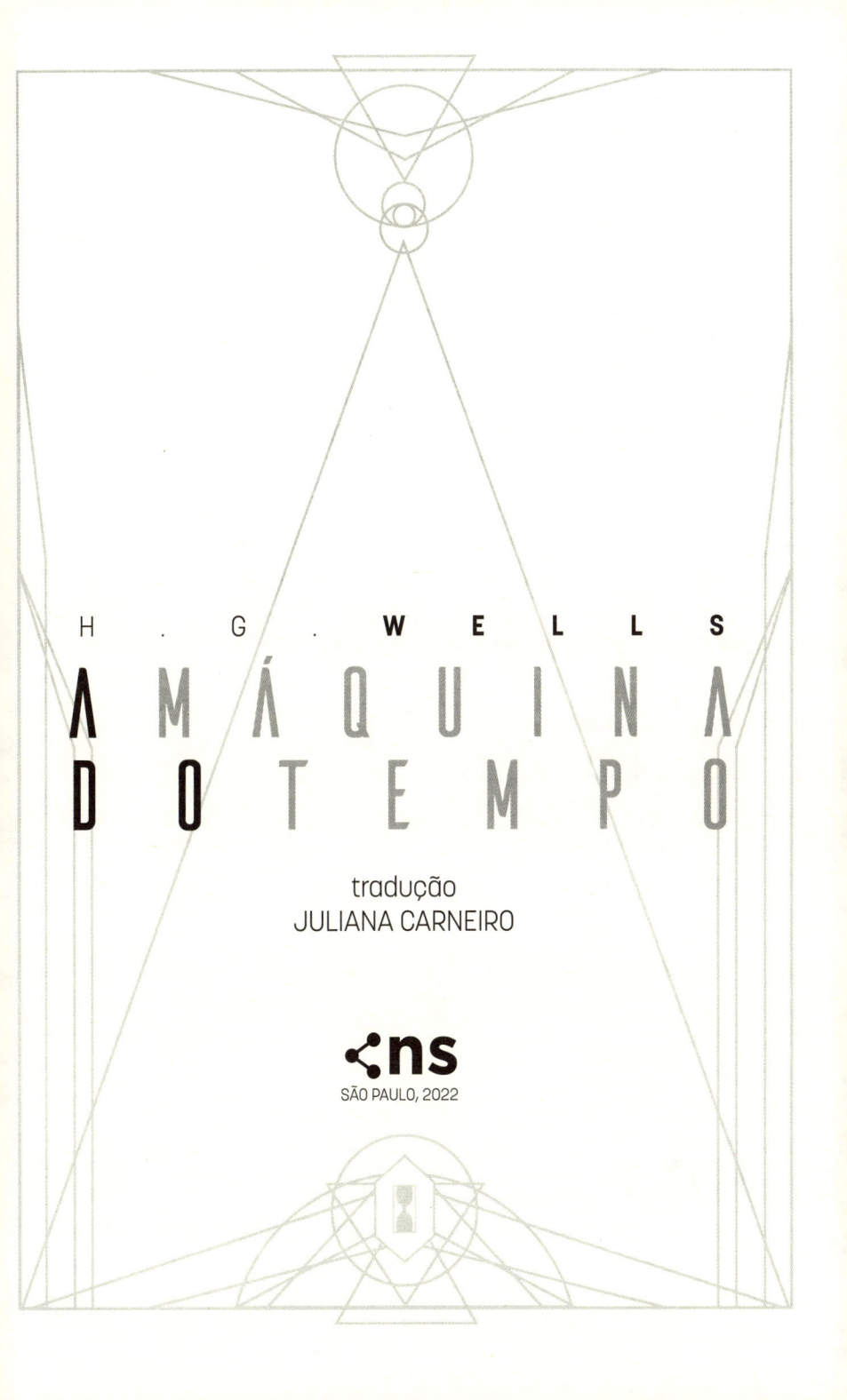

tradução
JULIANA CARNEIRO

ns
SÃO PAULO, 2022

The Time Machine
A máquina do tempo
Copyright © 2022 by Novo Século Editora Ltda.
Traduzido a partir do original disponível no Project Gutenberg.

EDITOR: Luiz Vasconcelos
COORDENAÇÃO EDITORIAL: João Paulo Putini
TRADUÇÃO: Juliana Carneiro
PROJETO GRÁFICO, DIAGRAMAÇÃO: João Paulo Putini
REVISÃO: Gabriel Lago/Daniela Georgeto
ILUSTRAÇÃO DE CAPA: Gustavo Sazes

Texto de acordo com as normas do Novo Acordo Ortográfico da Língua Portuguesa (1990), em vigor desde 1º de janeiro de 2009.

Dados Internacionais de Catalogação na Publicação (CIP)
Angélica Ilacqua CRB-8/7057

Wells, H. G. (Herbert George), 1866-1946
A máquina do tempo
H. G. Wells ; tradução de Juliana Carneiro.
Barueri : Novo Século, 2022.
144 p. (Mestres primordiais)

ISBN 978-65-5561-306-3
Título original: The time machine

1. Ficção inglesa 2. Ficção científica I. Título II. Carneiro, Juliana III. Série

21-5089   CDD 823

Índice para catálogo sistemático:
1. Ficção inglesa

‹ns
Uma marca do Grupo Novo Século

Alameda Araguaia, 2190 – Bloco A – 11º andar – Conjunto 1111
CEP 06455-000 – Alphaville Industrial, Barueri – SP – Brasil
Tel.: (11) 3699-7107 | Fax: (11) 3699-7323
www.gruponovoseculo.com.br | atendimento@gruponovoseculo.com.br

CAPÍTULO 1
INTRODUÇÃO

O Viajante do Tempo (uma forma mais conveniente de chamá-lo) estava nos contando um assunto deveras misterioso. Seus olhos cinza brilhavam e faiscavam; seu rosto, em geral pálido, estava corado e vivaz. O fogo queimava ardentemente, e o brilho suave da luz incandescente nos lírios prateados captava os reflexos borbulhantes em nossas taças. Nossas cadeiras, por ele patenteadas, abraçavam-nos e acariciavam-nos em vez de aceitarem ser meros assentos. Estávamos imersos nessa deliciosa atmosfera de depois do jantar, que deixava nossos pensamentos vagarem livres e imprecisos. E assim ele nos explicava, apontando vez ou outra com seu indicador fino, enquanto nos sentávamos e preguiçosamente admirávamos a seriedade dele sobre esse novo paradoxo (o que achávamos que era) e sua engenhosidade.

– Vocês precisam me acompanhar. Eu talvez precise quebrar uma ou duas regras universalmente aceitas. Por exemplo, a geometria que nos ensinaram na escola é baseada em algo infundado.

– Não acha que é demasiado difícil nos fazer crer no que diz? – disse Filby, um ruivo bem questionador.

— Eu não estou pedindo que aceitem qualquer coisa sem um embasamento. Vocês logo concordarão com o que lhes direi. Todos sabem que uma progressão matemática, uma progressão de espessura *nula*, não existe. Eles ensinaram-lhes isso? Tampouco existe um plano matemático. Essas coisas são meramente abstrações.

— Isso é verdade — disse o Psicólogo.

— Assim como um cubo não pode existir tendo apenas comprimento, largura e altura.

— Nisso eu discordo — contra-argumentou Filby. — É claro que um corpo sólido pode existir. Todas as coisas reais...

— É o que a maioria acha. Mas espere só um pouquinho. Um cubo *instantâneo* pode realmente existir?

— Não estou entendendo — respondeu Filby.

— Um cubo que não dura no decorrer do tempo pode, de fato, existir?

Filby começou a acompanhar o raciocínio.

— Claramente — prosseguiu o Viajante do Tempo —, qualquer corpo existente precisa se estender em *quatro* direções: é preciso ter Comprimento, Largura, Altura e... Duração. Mas, devido à natural debilidade da carne, que logo explicarei com mais detalhes, nós tendemos a desconsiderar esse fato. Na realidade, há quatro dimensões, três que pertencem ao plano do Espaço e uma quarta dimensão, que é o Tempo. Há, no entanto, uma tendência a desconsiderar a relação entre essas três dimensões com a quarta, porque a nossa consciência segue apenas em uma única direção ao longo do Tempo, durante toda a nossa vida.

– Isso – disse um jovem com certa dificuldade de reacender seu charuto sobre a lamparina –, isso... é de fato... esclarecedor.

– Agora, é realmente impressionante que haja tamanha desconsideração sobre tal fato – continuou o entusiasmado Viajante do Tempo. – Realmente, é isso que significa a Quarta Dimensão, embora algumas pessoas, quando falam sobre a Quarta Dimensão, não saibam que estão falando dela. É apenas um outro modo de olhar o Tempo. *Não há diferença entre Tempo e qualquer uma das três dimensões do Espaço, com exceção de que nossa consciência se move com ele.* Mas algumas pessoas tolas entendem o contrário. Vocês já ouviram o que elas entendem por Quarta Dimensão?

– Eu ainda não – respondeu o Prefeito da Província.

– É o seguinte: o Espaço, segundo nossos matemáticos, possui três dimensões, que chamamos de Comprimento, Largura e Altura, e que sempre foram definidas em relação a três planos, cada qual em ângulos retos aos demais. Mas alguns filósofos têm questionado o porquê dessas *três* dimensões, "por que não considerar outra direção também em ângulo reto às outras três?", e até tentaram formular uma geometria da Quarta Dimensão. O professor Simon Newcomb explicou isso há mais ou menos um mês na Sociedade Matemática de Nova York. Vocês sabem como, em uma superfície plana que possui apenas duas direções, é possível representar uma figura de um sólido tridimensional, e, da mesma forma, eles creem que, através de modelos de três dimensões, seria possível representar um de quatro, se ao menos pudessem compreender a perspectiva da coisa toda. Entendem?

– Acho que sim – murmurou o Prefeito da Província; e, franzindo as sobrancelhas, ele entrou em um estado introspectivo, mexendo os lábios como se repetindo palavras místicas. – Acho que consigo entender agora – disse após um tempo, animando-se um pouco.

– Ora, eu não me importo em dizer-lhes que tenho trabalhado há algum tempo na geometria das Quatro Dimensões. Alguns dos meus resultados foram surpreendentes. Por exemplo, este aqui é o retrato de um homem com oito anos de idade, outro aos quinze, outro aos dezessete, mais um aos vinte e três e assim sucessivamente. Todos são comprovações, de certa forma, de representações tridimensionais de um ser de Quatro Dimensões, que é um ponto fixo e inalterável.

– Os cientistas – prosseguiu após uma pausa para todos assimilarem – sabem muito bem que o Tempo é mais um componente do Espaço. Aqui está um diagrama científico bem comum, um registro climático. Esta linha que traço com meu dedo mostra o movimento do barômetro. Ontem a medição era alta, de noite ela caiu, então esta manhã ela subiu novamente até este ponto. Com certeza o mercúrio não traçaria esta linha de acordo com qualquer uma das dimensões espaciais que conhecemos? No entanto, ele traçou tal linha, e ela, por sua vez, podemos concluir, foi de acordo com a Dimensão do Tempo.

– Mas – disse o Médico, olhando o carvão no fogo –, se o Tempo é realmente apenas uma quarta dimensão do Espaço, por que é e sempre foi reconhecido como algo diferente? E por que não podemos nos mover no Tempo da mesma forma que nos movemos nas dimensões espaciais?

O Viajante do Tempo sorriu.

– Você tem certeza de que podemos nos mover livremente no Espaço? Podemos ir para a direita e para a esquerda, para a frente e para trás sempre que quisermos, e os homens sempre o fizeram. Eu concordo que podemos nos mover livremente em duas dimensões. Mas e para cima e para baixo? Aqui nos limita a gravidade.

– Não exatamente – argumentou o Médico. – Para isso existem os balões.

– Mas, antes dos balões, salvo os pulos espasmódicos e as peculiaridades da superfície, o homem nunca teve liberdade de se mover verticalmente.

– Ainda assim, é possível mover-se um pouco para cima e para baixo – finalizou o Médico.

– Muito mais facilmente para baixo do que para cima.

– E é impossível mover-se no Tempo, não dá para fugir do momento presente.

– Meu caro senhor, é aí que se equivoca. É aí que o mundo todo está errado. Nós estamos sempre fugindo do momento presente. Em nossas divagações mentais, que são imateriais e não possuem dimensões, estamos nos movendo através da dimensão temporal em uma velocidade constante, desde o nosso nascimento até a nossa morte, do mesmo modo que viajaríamos *para baixo* se nascêssemos a oitenta quilômetros acima da superfície terrestre.

– Mas a dificuldade está exatamente aí – interrompeu o Psicólogo. – É *possível* mover-se em todas as direções do Espaço, mas não é possível mover-se através do Tempo.

– Esse é o cerne da minha grande descoberta. Mas todos estão errados em dizer que é impossível mover-se no

Tempo. Por exemplo, se me estou lembrando de algum acontecimento de forma bem vívida, eu volto ao momento em que ele ocorreu: divago, como muitos dizem. Volto por um mero instante. Claro que não temos meios de ficar muito tempo, assim como um selvagem ou um quadrúpede não pode permanecer no ar, dois metros acima do solo. Mas um homem civilizado é melhor do que um selvagem nesse aspecto. Ele pode enfrentar a gravidade em um balão; e por que não poderia um dia ser capaz de, enfim, parar ou acelerar seu curso através da dimensão temporal, ou até mesmo dar meia-volta e viajar para a direção contrária?

– Ah, *isso* – começou Filby –, isso tudo é uma...

– Por que não? – disse o Viajante do Tempo.

– Isso vai contra a razão – respondeu Filby.

– Que razão?

– Você pode argumentar até dizer que o preto é branco – continuou Filby –, mas você jamais me convencerá.

– Talvez não consiga – respondeu o Viajante do Tempo –, mas agora você começa a enxergar o objeto das minhas pesquisas sobre a geometria das Quatro Dimensões. Há muito tempo, eu tinha a vaga ideia de uma máquina...

– ... Para viajar no Tempo! – exclamou o Jovem. – Que pode viajar em qualquer direção no Espaço e no Tempo, de acordo com as vontades de seu piloto.

Filby não conteve seu riso.

– Mas eu tenho experiências a comprovar – respondeu o Viajante do Tempo.

– Seria deveras conveniente para um historiador – sugeriu o Psicólogo –, por exemplo, viajar ao passado e conferir o que de fato ocorreu na Batalha de Hastings!

– Não acha que isso atrairia a atenção? – disse o Médico. – Os nossos antepassados não toleravam muito os anacronismos.

– Alguém poderia aprender grego diretamente com os próprios Homero e Platão – refletiu o Jovem.

– Em qualquer um dos casos, isso seria apenas superficial. Os estudiosos alemães já aprimoraram o grego há tempos.

– E ainda tem o futuro – disse o Jovem. – Pense só! Alguém poderia investir todo o seu dinheiro, deixar os juros acumularem e seguir para aproveitá-lo no futuro!

– Ou descobrir uma sociedade – complementei – rigorosamente sustentada pelos preceitos comunistas.

– Tudo teoria extravagante e fantasiosa! – exasperou o Psicólogo.

– Era o que também me parecia, por isso nunca falei sobre o assunto, até que...

– Fez a experiência! – gritei. – Você vai comprovar *isso*?

– O experimento! – gritou Filby, que estava impaciente.

– De qualquer forma, vamos ver seu experimento – sugeriu o Psicólogo –, apesar de ser uma baboseira.

O Viajante do Tempo sorriu para todos. Então, ainda com um leve sorriso no rosto e com as mãos afundadas em seus bolsos, andou calmamente para fora da sala, e ouvimos suas leves passadas seguindo até o laboratório.

O Psicólogo olhou-nos.

– Eu me pergunto, o que será que ele tem?

– Algum truque na manga – disse o Médico, e Filby tentava contar-nos sobre um mágico que ele tinha visto em Burslem, mas, antes que pudesse terminar seu relato, o Viajante do Tempo retornou e a piada de Filby foi esquecida.

CAPÍTULO 2
A MÁQUINA

A peça que o Viajante do Tempo trazia na sua mão era uma estrutura metálica que cintilava, um pouco maior do que um relógio e feita de forma delicada. Havia marfim e alguma substância transparente e cristalina nela. E agora devo ser mais claro, pois o que se segue, a menos que a explicação dele seja aceita, é algo extraordinariamente inconcebível. Ele pegou uma das pequenas mesas octogonais que estavam espalhadas na sala e a colocou de frente para o fogo, com dois pés apoiados no tapete próximo à lareira. Nessa mesa, ele colocou o mecanismo. Então puxou uma cadeira e sentou-se. O único outro objeto na mesa era uma lamparina pequena, cuja luz irradiava sobre o modelo. Havia também cerca de doze velas, duas em castiçais de bronze sobre a cornija e as demais distribuídas em candeeiros ao redor da sala, mantendo-a suficientemente iluminada. Sentei-me em uma poltrona próxima ao fogo e aproximei-me a ponto de ficar entre o Viajante do Tempo e a lareira. Filby sentou-se atrás dele, olhando por sobre o ombro. O Médico e o Prefeito da Província olhavam-no de perfil à direita, o Psicólogo à esquerda. O Jovem ficou em pé atrás do Psicólogo. Estávamos todos atentos. Para mim, parecia incrível que qualquer tipo de truque, do mais sutil até o mais hábil, tivesse nos enganado sob essas condições.

O Viajante do Tempo olhou-nos e, então, encarou o mecanismo.

– Então? – indagou o Psicólogo.

– Este pequeno equipamento – respondeu o Viajante do Tempo apoiando os cotovelos sobre a mesa e pressionando as mãos por sobre o aparato – é apenas um modelo. É o protótipo para uma máquina que viaja no Tempo. Vocês podem notar que ela parece distintamente torta e que há um estranho brilho nesta barra, como se fosse algo irreal.

– Apontou para a parte com seu dedo. – Também tem uma pequena alavanca branca, e aqui tem mais outra.

O Médico levantou-se da cadeira e analisou o objeto.

– É realmente bem-feito – disse.

– Levei dois anos para criá-lo – respondeu o Viajante do Tempo. Então, quando todos nós repetimos a ação do Médico, ele prosseguiu: – Agora quero que compreendam que, ao empurrar esta alavanca, a máquina é enviada ao futuro, e esta outra reverte o movimento. Esta sela representa o assento de um viajante do Tempo. Agora no presente, eu pressionarei esta alavanca e a máquina seguirá. Ela desvanecerá, indo para o futuro, e então desaparecerá. Olhem bem para ela. Olhem também para a mesa e percebam que não há truque algum. Eu não quero desperdiçar este modelo e ouvi-los chamando-me de charlatão.

Houve provavelmente um minuto de pausa. Parecia que o Psicólogo me diria algo, mas mudou de ideia. Então o Viajante do Tempo posicionou o dedo em direção à alavanca.

– Não – disse repentinamente. – Empreste-me a sua mão.

E, virando-se para o Psicólogo, pegou a mão dele na sua e pediu que estendesse seu indicador, para que fosse o próprio Psicólogo a impulsionar o modelo da Máquina do Tempo em sua interminável viagem. Todos nós vimos a alavanca girar. Tenho a mais absoluta certeza de que não foi um truque. Houve um sopro, e a chama da lamparina faiscou. Uma das velas na cornija se apagou, e a pequena máquina subitamente rodopiou, tornando-se algo indefinível, como uma aparição fantasmagórica, e em um turbilhão cintilante de bronze e marfim ela sumiu... desapareceu! Salvo pela lamparina, a mesa estava vazia.

Todos ficaram em silêncio. Até que Filby disse que estaria condenado.

O Psicólogo recuperou-se de seu estupor e logo começou a vascular por baixo da mesa, o que fez o Viajante do Tempo rir alegremente.

– Então? – perguntou, como antes fizera o Psicólogo. Levantando-se, foi até o pote de tabaco na cornija encher seu cachimbo, de costas para nós.

Nós todos nos entreolhamos.

– Olhe aqui – disse o Médico –, você fala sério em relação a isso? Você realmente acredita que aquela máquina viajou no Tempo?

– Com certeza – respondeu o Viajante do Tempo, inclinando-se para acender uma vareta no fogo. Então se virou, acendeu seu cachimbo e olhou para o Psicólogo. O Psicólogo, para mostrar que não estava abalado, tomou ele mesmo um charuto e tentou acendê-lo sem cortar a ponta. – Além do mais, eu tenho uma máquina maior aqui, que está quase pronta – indicou o laboratório –, e, quando eu a terminar, pretendo viajar por conta própria.

– Você está querendo dizer que a máquina viajou para o futuro? – sondou Filby.

– Para o futuro ou para o passado, eu não tenho certeza de para qual dos dois.

Após um breve intervalo, o Psicólogo formulou sua opinião.

– Ela deve ter ido ao passado, caso tenha mesmo ido a algum lugar.

– Por quê? – indagou o Viajante do Tempo.

– Porque acredito que ela não se moveu no Espaço e, se ela tivesse viajado ao futuro, ainda estaria aqui agora, já que ela deve ter viajado por este Tempo.

– Mas – disse eu –, se ela viajou ao passado, teria sido possível vê-la quando chegamos a esta sala; e na última quinta-feira, quando estivemos aqui; e na quinta-feira da semana anterior, e assim por diante.

– Sérias objeções – destacou o Prefeito da Província com certo ar de imparcialidade, virando-se para o Viajante do Tempo.

– Nem um pouco – retorquiu o Viajante do Tempo, e disse para o Psicólogo: – Você pensa. *Você* pode explicar isso. É uma apresentação sob o limiar da consciência, você sabe, uma apresentação diluída.

– Claro – disse o Psicólogo e tranquilizou-nos. – É uma questão simples da psicologia. Eu devia ter pensado nisso. É bem claro e ajuda muitíssimo nosso paradoxo. Nós não conseguimos ver ou vislumbrar a máquina, não mais do que um raio de uma roda girando, ou uma bala voando pelo

ar. Se ela está viajando através do Tempo umas cinquenta ou cem vezes mais rápido do que nós, se ela atravessa um minuto enquanto atravessamos um segundo, a impressão criada é de que ela viaja a um centésimo do tempo que levaríamos caso não estivéssemos viajando no Tempo. É bem óbvio. – Ele passou a mão pelo local onde a máquina estava.
– Vocês entendem? – perguntou rindo.
Nós nos sentamos e olhamos para a mesa por um minuto ou dois. Então, o Viajante do Tempo nos perguntou o que achávamos.
– Soa o mais plausível, por hoje – disse o Médico. – Mas vamos aguardar até amanhã. Vamos aguardar a clareza mental que o despertar nos traz.
– Vocês gostariam de ver a Máquina do Tempo? – perguntou o Viajante do Tempo. E, com isso, pegou a lamparina em sua mão e seguiu liderando o caminho pelo corredor estéril até o seu laboratório. Eu me recordo vividamente da luz tremeluzente, da silhueta de seu perfil, das sombras dançantes, como nós o seguimos, abismados e incrédulos, e como no laboratório nós nos deparamos com uma versão ainda maior do protótipo que havia desaparecido à nossa frente. Algumas de suas partes eram de níquel, algumas de marfim e outras, com certeza, eram fragmentos de cristais cortados e polidos. A máquina estava praticamente completa, mas as barras cristalinas jaziam inacabadas sobre a bancada ao lado de alguns desenhos, e eu peguei uma para olhar mais de perto. Parecia ser quartzo.
– Olhe aqui – disse o Médico –, você está realmente falando sério? Ou isso é apenas mais um truque, como aquele do fantasma que você nos mostrou no Natal passado?

– Com essa máquina – disse o Viajante do Tempo segurando a lamparina para cima – eu pretendo explorar o Tempo. Isso está claro? Eu nunca falei tão sério sobre algo em toda a minha vida.

Nenhum de nós sabia como digerir aquilo.

Percebi o olhar de Filby por sobre o ombro do Médico, e ele retribuiu-me com uma piscadela séria.

CAPÍTULO 3
O VIAJANTE DO TEMPO RETORNA

Eu acho que nenhum de nós acreditava realmente na Máquina do Tempo. O fato é que o Viajante do Tempo era um daqueles humanos tão inteligentes, que era difícil de acreditar: você nunca sentiria que o entendeu completamente; sempre dava para notar uma certa reserva, uma ingenuidade atípica por trás de sua sinceridade lúcida. Se Filby tivesse mostrado o modelo e o explicado nas palavras do Viajante do Tempo, nós poderíamos mostrar *a ele* menos ceticismo. Pois nós teríamos entendido suas razões: até um açougueiro entenderia Filby. No entanto, o Viajante do Tempo tinha mais do que meros caprichos à disposição, e por isso desconfiávamos dele. Coisas que tornariam famoso um homem menos brilhante pareciam meros truques em suas mãos. Não é possível as coisas serem assim tão fáceis. As pessoas que realmente o levavam a sério nunca sentiam firmeza em sua conduta; elas, de certa forma, sabiam que lhe confiar suas reputações seria como colocar um elefante em uma loja de cristais. Então, não creio que algum de nós tenha dito algo mais sobre viagem no Tempo durante aquela quinta-feira e a próxima, apesar das estranhas possibilidades que sem dúvida rondavam as nossas cabeças: a sua plausibilidade, ou seja, a sua incredibilidade factual, as possibilidades surpreendentes do anacronismo e de completa confusão que isso desencadearia. De minha parte, eu estava sinceramente preocupado com o truque do protótipo. Lembro-me de discutir com o Médico, a quem encontrei na sexta-feira, no Liceu. Ele contou-me que havia visto algo parecido em Tübingen e ressaltou consideravelmente o apagar da vela. Mas como o truque fora feito ele não conseguia explicar.

Na quinta-feira seguinte, retornei a Richmond; acredito que eu era uma das visitas mais frequentes do Viajante do Tempo, e, chegando tarde, encontrei quatro ou cinco homens já reunidos na sala de estar. O Médico estava de pé, próximo ao fogo, com uma folha de papel em uma mão e seu relógio na outra. Olhei à nossa volta, atrás do Viajante do Tempo, mas fui interrompido pela voz do Médico.

– Já são umas sete e meia – disse ele. – Acho que seria melhor jantarmos, não?

– Onde está...? – indaguei sobre o nosso anfitrião.

– Você acabou de chegar? É estranho. Ele obviamente está atrasado. Ele pediu neste bilhete que prosseguíssemos com o jantar às sete, caso ele não estivesse de volta. Diz aqui também que ele explicará tudo assim que chegar.

– Parece uma pena desperdiçar esse jantar – disse o Editor de um jornal matutino bem famoso; e assim o Médico tocou a campainha.

O Psicólogo era o único além do Médico e de mim que participara do último jantar. Os outros homens eram o Blank, o editor mencionado acima, um certo Jornalista e um outro homem, um barbudo quieto e tímido, a quem eu não conhecia e que, pelo que pude notar, não disse uma palavra sequer a noite toda. Houve especulações durante o jantar sobre a ausência do Viajante do Tempo, e eu sugeri, de forma jocosa, que estaria viajando no Tempo. O Editor pediu que lhe explicássemos, e o Psicólogo voluntariou-se contando sobre "o paradoxo e o truque engenhosos" que havia testemunhado na semana anterior. Ele estava no meio de sua apresentação quando a porta do corredor se abriu devagar e silenciosamente. Eu estava de frente para ela e fui o primeiro a ver.

– Olá! – falei. – Até que enfim!

A porta se abriu ainda mais, revelando o Viajante do Tempo à nossa frente. Eu dei um grito de surpresa.

– Por Deus! Homem, o que aconteceu? – questionou o Médico, que foi o próximo a vê-lo.

Em seguida, todos à mesa se viraram em direção à porta.

Seu estado era deplorável. Seu casaco estava sujo e empoeirado, suas mangas manchadas de verde; seu cabelo estava desgrenhado e parecia estar mais grisalho – se devido à poeira e à sujeira ou porque havia desbotado, eu não saberia dizer. Seu rosto estava assustadoramente pálido; em seu queixo havia um corte marrom, parcialmente cicatrizado; sua expressão era de fome e fadiga, como se tivesse passado por um intenso sofrimento. Por um momento, ele hesitou na soleira da porta, como se estivesse se adaptando à luz. Então adentrou a sala. Andou com um leve mancar, do tipo que eu só tinha visto em maltrapilhos de pés machucados. Nós o encaramos em silêncio, esperando que ele começasse a falar.

Ele não disse uma palavra sequer, mas foi cambaleante até a mesa e fez menção de pegar o vinho. O Editor encheu uma taça de champanhe e empurrou-a em sua direção. Ele tragou-a de uma só vez, e parecia que lhe tinha caído bem, pois olhou ao redor da mesa e o fantasma de seu velho sorriso despontou-lhe no rosto.

– Que raios você andou fazendo, homem? – perguntou o Médico, o que o Viajante do Tempo pareceu não ouvir.

– Não deixem que eu os perturbe – disse ele de forma titubeante. – Estou bem. – Parou, levantou a taça para beber mais e secou seu conteúdo em um só gole. – Este é bom.

Seus olhos iluminaram-se e um pouco de cor retornou ao seu rosto. Seu olhar vagou pelos presentes com certa aprovação e, em seguida, pairou pela sala aquecida e confortável. Então falou novamente, como se estivesse ainda se acostumando com as palavras.

– Eu vou me lavar e me vestir, e depois desço para explicar o que aconteceu... Guardem um pouco desse assado de carneiro, por favor. Estou louco para comer um pouco de carne.

Ele olhou para o Editor, que raramente o visitava, mas esperava que ele estivesse bem. O Editor começou a questioná-lo.

– Contarei tudo em breve – interrompeu o Viajante do Tempo. – Estou deplorável! Estarei bem e de volta em um minuto.

Ele pousou sua taça e andou em direção à porta que dava nas escadas. De novo, notei seu estado lamentável e o leve mancar de seu andar; pondo-me em pé, vi os pés dele conforme andava. Ele não tinha nada além de um par ensanguentado e esfarrapado de meias. A porta se fechou atrás dele. Pensei em segui-lo, mas me lembrei de como ele não tolerava nenhum tipo de rebuliço sobre sua pessoa. Por um momento, acredito, minha mente começou a vagar. Então ouvi o Editor dizer, já pensando em uma próxima manchete (como de praxe):

– "O extraordinário comportamento de um cientista promissor".

E isso trouxe minha atenção de volta à mesa de jantar.

– Que brincadeira é essa? – indagou o Jornalista. – Ele andou mendigando pelas ruas? Não consigo entender.

Eu e o Psicólogo nos entreolhamos e vi minha própria interpretação estampada em seu rosto. Pensei no Viajante do Tempo mancando dolorosamente ao subir as escadas. Não acho que alguém mais tenha notado seus passos vacilantes.

O primeiro a se recuperar completamente da surpresa foi o Médico, que tocou a campainha (o Viajante do Tempo odiava ter seus empregados aguardando na sala de jantar) para pedir um prato. Nisso, o Editor pegou de modo brusco seu garfo e sua faca, sendo logo copiado pelo Homem Silencioso. O jantar foi retomado. A conversa, aos poucos, se acalorava com certas exclamações de surpresa; e o Editor ardia em sua curiosidade:

– Será que nosso amigo está passando tanta dificuldade que foi preciso aumentar sua renda dessa forma? Ou ele está passando por uma das fases de Nabucodonosor?

– Estou certo de que isso tem a ver com aquela Máquina do Tempo – afirmei e prossegui com o que o Psicólogo havia pontuado em nossa última reunião.

Os novos visitantes ficaram incrédulos. O Editor levantou suas objeções:

— Que história é essa de viagem no Tempo? Um homem não poderia cobrir-se todo de poeira ao se enrolar em um paradoxo, não é mesmo?

Então, como se a ideia o atingisse, ele começou a zombar:

— Não haveria escovas de roupa no futuro?

O Jornalista também não acreditava de forma alguma e se uniu ao Editor no trabalho de ridicularizar toda a situação. Os dois eram da nova leva de jornalistas, homens muito jovens e muito empolgados.

— Nosso correspondente especial nas reportagens do dia depois de amanhã — dizia, na verdade gritava o Jornalista, quando o Viajante do Tempo retornou.

Ele estava vestido com roupas de noite comuns, e nada em sua aparência lembrava o aspecto selvagem que me havia surpreendido antes.

— Eu digo — zombava o Editor — que esses camaradas aqui estão afirmando que você andou viajando para a próxima semana! Conte-nos um pouco mais sobre Rosebery*, por favor. O que você acha dele?

O Viajante do Tempo sentou-se no lugar que lhe estava reservado sem dizer nada. Ele sorriu levemente à sua maneira.

— Onde está meu assado? — perguntou. — Que delícia é enfiar o garfo em uma carne novamente!

— Mas que conversa! — gritou o Editor.

---

* Referência ao 5º Conde de Rosebery, um político liberal que chegou a ser primeiro-ministro do Reino Unido. (N.T.)

— Conversa, que nada! – disse o Viajante do Tempo. – Eu quero comer alguma coisa primeiro. Eu não vou contar nada até colocar alguma proteína para dentro. Obrigado. O sal, por favor.

— Uma palavrinha – sondei. – Você esteve viajando no Tempo?

— Sim – afirmou o Viajante do Tempo com a boca cheia e assentindo com a cabeça.

— Eu daria um xelim por cada linha dessa matéria – disse o Editor.

O Viajante do Tempo empurrou sua taça em direção ao Homem Silencioso, tocando no vidro com seu indicador, ao que o Homem Silencioso, que o encarava, se sobressaltou e enfim lhe serviu o vinho. O restante do jantar foi decerto desconfortável. De minha parte, um bombardeio de perguntas chegava-me à ponta da língua, e atrevo-me a dizer que todos se sentiam assim. O Jornalista tentou aliviar a tensão contando algumas anedotas sobre Hettie Potter*. O Viajante do Tempo dedicou sua atenção ao jantar e mostrou um apetite voraz. O Médico fumava um charuto enquanto assistia ao Viajante do Tempo por olhos semicerrados. O Homem Silencioso parecia mais desastrado do que de costume e bebia seu espumante como água, por causa de seu nervosismo. Por fim, o Viajante do Tempo afastou seu prato e passou os olhos por nós.

— Acredito que devo pedir desculpas – disse ele. – Eu estava completamente faminto. E aproveitei muitíssimo.

---

* Uma referência imprecisa feita pelo autor a alguma personalidade da época, embora pesquisas não tenham comprovado quem de fato foi Hettie Potter. (N.T.)

– Pegou um charuto e cortou a ponta. – Vamos todos para a sala fumar. A história é longa demais para ser contada perto de pratos gordurosos.

Ele tocou a campainha ao sair e levou-nos até a sala adjunta.

– Você contou sobre a máquina para Blank, Dash e Chose*? – perguntou-me ele, debruçando-se em sua cadeira e indicando nossos três novos convidados.

– Mas a coisa é um mero paradoxo – comentou o Editor.

– Eu não vou discutir hoje. Não me importo de lhes contar o que aconteceu, mas não vou discutir. Eu vou – prosseguiu ele – contar tudo que ocorreu, se quiserem, mas devem evitar interromper-me. Eu quero contar. Muito. A maioria do que vou dizer-lhes parecerá mentira. E que seja! Mas, de qualquer maneira, é a verdade, cada palavra. Eu estava em meu laboratório às quatro da tarde e, desde então... eu passei oito dias fora... dias que nenhum ser humano jamais viveu! Estou completamente esgotado, mas não vou conseguir dormir até contar tudo para vocês. E então irei para a cama. Mas sem interrupções! De acordo?

– De acordo – disse o Editor, o que o restante de nós ecoou.

E assim o Viajante do Tempo começou a sua história, conforme demonstrarei aqui. Ele se ajeitou em sua cadeira primeiro e falou como um homem exaurido. No decorrer da narrativa, ele se animou um pouco mais. Ao escrever isso, sinto piamente como caneta e papel são inadequados – acima de tudo, como eu sou inadequado – para descrever tudo em seus detalhes. Você lerá, acredito, com demasiada

---

*   Codinomes dos convidados daquela noite. (N.T.)

atenção; mas você não pode ver o rosto pálido e sincero de seu narrador no círculo parcamente iluminado pela pequena lamparina, tampouco pode ouvir a entonação de sua voz. Você não pode ver como a expressão dele mudava no decorrer da narrativa! A maioria de nós, ouvintes, estava na sombra, pois as velas na saleta não haviam sido acesas, e somente o rosto do Jornalista e as pernas, do joelho para baixo, do Homem Silencioso estavam iluminados. A princípio, nos entreolhávamos de vez em quando. Depois de um tempo, paramos e olhamos apenas para o rosto do Viajante do Tempo.

CAPÍTULO 4
VIAGEM NO TEMPO

— Na última quinta-feira, contei-lhes alguns dos princípios da Máquina do Tempo e mostrei-lhes a máquina ainda incompleta em minha oficina. Ela está lá agora, embora um pouco gasta; e uma de suas barras de marfim quebrou-se, assim como seu mainel de bronze; mas o restante está suficientemente intacto. Eu esperava tê-la finalizado na sexta-feira, mas, no dia, quando estava terminando de montá-la, notei que uma das barras de níquel era meio centímetro menor, e isso é bem complicado de refazer; então não consegui terminá-la até esta manhã. Eram umas dez da manhã quando a primeira Máquina do Tempo já construída fez sua estreia. Eu dei uns últimos retoques, apertei mais alguns parafusos, coloquei umas gotas a mais de óleo na engrenagem de quartzo e acomodei-me no assento. Acredito que um suicida que aponta uma arma para a própria cabeça sinta a mesma sensação que tive uns momentos depois. Eu peguei a alavanca de partida em uma mão e a de freio na outra, empurrei a primeira e logo em seguida empurrei a segunda. Parecia que estava oscilando; senti-me como se estivesse caindo em um pesadelo; e, olhando à minha volta, vi o meu laboratório do mesmo jeito que antes. Será que alguma coisa tinha acontecido? Por um momento, achei que meu intelecto me havia pregado uma peça. Então notei o relógio. Apenas um momento antes, ao que parecia, ele marcava uns poucos minutos depois das dez; agora passava das três e meia!

"Eu soltei um suspiro, trinquei meus dentes, agarrei a alavanca de partida com ambas as mãos e empurrei-a com força. O laboratório ficou nebuloso até ser tomado pela completa escuridão. A senhora Watchett entrou e andou, aparentemente sem me ver, em direção à porta do jardim. Acredito que ela levou um minuto para fazê-lo, mas, para mim, parecia que ela havia cruzado o ambiente como um raio. Eu empurrei a alavanca até seu máximo. A noite veio como um apagar de luzes, e logo surgiu o amanhã. O laboratório começou a esvaecer, ficando cada vez mais indistinto. A noite do dia seguinte logo surgiu, e depois o dia, a noite, o dia de novo, cada vez mais rápido e mais rápido. Um zumbido assombrou meus ouvidos, e uma confusão estranha e entorpecedora tomou minha mente.

"Receio não conseguir transpor todas as sensações peculiares que senti ao viajar no Tempo. Elas foram completamente desagradáveis. Foi uma sensação como se alguém ziguezagueasse em uma velocidade absurdamente incontrolável! Também senti o mesmo pavor de bater a qualquer momento. Conforme mantive o ritmo, a noite seguia o dia como o bater de asas. O mero indício do laboratório começou a passar por mim e vi o sol surgindo no céu, cruzando-o a cada minuto, e cada minuto marcando um dia. Presumi que meu laboratório havia sido destruído e que eu havia parado a céu aberto. Tive a mera impressão de construções ao meu redor, mas eu já estava rápido demais para poder discernir alguma coisa. A lesma mais lerda passava por mim rapidamente. A mudança entre escuridão e claridade tornava-se dolorosa aos olhos. Então, da escuridão intermitente, vi a lua girando ligeiramente em suas fases, de nova a cheia, além dos vislumbres das estrelas circundantes. Assim, conforme prossegui, a velocidade aumentando cada vez mais até os dias e as noites se combinarem em uma imensidão cinzenta, o céu tornou-se um azul maravilhosamente sombrio, uma cor esplêndida como o tom crepuscular; o nascer do sol era como um raio de fogo, formando um arco brilhante no espaço; a lua como um anel flutuante cada vez mais pálido; e não conseguia mais ver as estrelas, além de um círculo ofuscante vez ou outra na imensidão azul.

"O cenário era enevoado e confuso. Eu ainda estava na encosta em que esta casa se encontra, sua elevação cinzenta e escura. Vi árvores crescendo e mudando como nuvens de vapor, ora marrons, ora verdes; elas cresciam, espalhavam-se, tremiam e morriam. Vi grandes construções surgirem e passarem como em sonhos. Toda a superfície terrestre pareceu mudar, derreter e escoar à minha frente. Os pequenos ponteiros que marcavam minha velocidade giravam cada vez mais rápido. Até que percebi que o sol arqueava para cima e para baixo, de solstício a solstício, em até menos que um minuto, o que indicava que eu transcorria anos por minuto; e de minuto a minuto a neve surgia, e desaparecia, e logo era procedida pelo breve e brilhante verde primaveril.

"As sensações desagradáveis que senti de início começaram a diminuir. Por fim, tornaram-se um tipo de êxtase histérico. Reparei que a máquina balançou de forma desajeitada, mas fui incapaz de controlá-la. A minha cabeça estava confusa demais para compreender o que ocorria, pois uma loucura começou a tomar conta de mim enquanto me lançava para o futuro. No começo, eu mal pensava em parar; não pensava em nada além daquelas novas sensações. No entanto, inúmeras e novas noções surgiam em minha mente, assim como certa curiosidade, e, com elas, certo temor, até que por fim elas todas me possuíram. 'Que estranhas evoluções da humanidade, que maravilhosos avanços após nossa rudimentar civilização não podem aparecer', pensei, quando eu parasse para observar o mundo sombrio e ilusório que corria e flutuava perante meus olhos! Vi uma arquitetura gloriosa e esplêndida surgir, maior do que qualquer construção de nossa época, e, ainda assim, como parecia, derivada de um vislumbre e da névoa. Vi um verde vivo tomar a colina e por lá ficar, sem ser incomodado pelo inverno. Até mesmo através do véu de minha confusão a terra parecia muito bonita. E assim minha mente se voltou ao propósito de parar.

"Minha maior e peculiar preocupação era com a chance de a máquina ou eu ocuparmos alguma outra substância no Espaço. Então, enquanto eu viajasse em alta velocidade através do Tempo, isso pouco importava: eu estava, como posso dizer, diluído; estava-me dissipando como vapor por entre os interstícios de substâncias intervenientes! Mas parar envolvia minha colisão, molécula por molécula, com o que quer que estivesse em meu caminho; o que poderia levar meus átomos a tal contato íntimo com o meu obstáculo, que provocaria uma complexa reação química, provavelmente uma explosão de longo alcance, que levaria meu aparato e a mim mesmo a todas as possíveis dimensões, até o Desconhecido. Essa possibilidade passou por minha cabeça vez ou outra enquanto construía a máquina, mas então aceitei animado que seria um risco inevitável, um dos riscos que o homem tem de correr! Agora o risco poderia ser fatal, e eu não o via mais do mesmo modo animador. A verdade é que a completa estranheza de tudo, o balançar e rodopiar da máquina, além da sensação interminável de cair, haviam sobrecarregado meus nervos. Eu disse a mim mesmo que nunca pararia e, com certa petulância, decidi parar imediatamente. Como um tolo impaciente, abaixei a alavanca e, sem demora, a coisa degringolou, e fui arremessado de cabeça para baixo pelo ar.

"Um som ribombante de um trovão assaltou meus ouvidos. Creio ter ficado entorpecido por um momento. A chuva impiedosa de granizo zunia ao meu redor e eu aterrissei na relva macia em frente à máquina revirada. Tudo ainda parecia acinzentado, mas logo notei que o pandemônio em meus ouvidos terminara. Eu olhei à minha volta. Estava no que parecia ser a grama de um jardim, cercado por arbustos de rododendros, e percebi que seus botões róseos e arroxeados caíam como chuva sob o impacto constante do granizo. O granizo que dançava e ricocheteava pairava em uma pequena nuvem sobre a máquina e seguia em direção ao chão como fumaça. Em um segundo, eu já estava ensopado. 'Que grande hospitalidade', comentei, 'para o homem que viajou por incontáveis anos para vê-los'.

"Naquele momento, eu me achava um bobo por ter-me molhado. Eu me levantei e olhei ao redor. Uma figura enorme esculpida em algum tipo de pedra branca surgia de forma indistinta por trás dos rododendros, através da intensa tempestade. Mas todo o resto do mundo estava invisível.

"Seria difícil descrever o que senti. Conforme se reduzia a intensidade da chuva de granizo, consegui discernir melhor a imagem branca. Era tão grande, que o caule prateado de uma bétula não lhe alcançava o ombro. Era de mármore branco, e sua forma assemelhava-se a uma esfinge alada, mas suas asas, em vez de recolhidas, estavam estiradas como se ela sobrevoasse. O pedestal, pelo que me pareceu, era feito de bronze e estava bem oxidado. Por acaso, seu rosto estava em minha direção; os olhos cegos pareciam vigiar-me; e havia um leve indício de um sorriso em seus lábios. Ela estava bem gasta pelo tempo, e só isso já lhe dava um ar desagradável de doença. Eu fiquei em pé admirando-a por uns minutos, ou quase uma hora. Ela parecia avançar e recuar conforme a tempestade de granizo à sua volta ficava mais densa ou mais esparsa. Por fim, tirei meus olhos dela por um momento e notei que a cortina de granizo se recolhia e que o céu começava a clarear, indicando que o sol logo surgiria.

"Olhei de novo para a forma branca agachada e subitamente me dei conta da audácia de minha jornada. O que poderia surgir quando a densa cortina de granizo fosse suspensa? O que poderia ter acontecido com o homem? E se a crueldade houvesse tomado conta de todos? E se, nesse intervalo, a raça humana tivesse perdido sua humanidade e se tornado algo inumano, impiedoso e extremamente poderoso? Eu poderia parecer um animal selvagem do velho mundo, perigoso e repulsivo demais para nossa semelhança, uma criatura vil que deveria ser imediatamente exterminada.

"Logo vi outras silhuetas enormes, edifícios gigantescos com parapeitos intrincados e altas colunas, com uma colina arvorejada surgindo por entre o acalmar da tempestade. Fiquei paralisado pelo pânico. Virei-me freneticamente para a Máquina do Tempo e empenhei-me em reposicioná-la. Conforme prosseguia, raios de sol batalhavam contra a tormenta. A chuva acinzentada amainou e desvaneceu como uma aparição espectral. Acima de mim, o intenso azul do céu de verão surgiu, com algumas parcas nuvens escuras extinguindo-se. Os grandes edifícios ao meu redor estavam discerníveis e nítidos, brilhando com a umidade deixada pela tempestade e com seus caminhos salpicados de branco, devido às pedras de granizo que não derreteram. Senti-me nu perante aquele mundo estranho. Senti como se fosse um pássaro ao ar livre, sabendo estar sob a mira de um falcão prestes a atacar. Meu medo tornou-se um frenesi. Abri espaço para respirar, trinquei os dentes e mais uma vez empurrei fortemente, com mãos e joelhos, a máquina. Ela cedeu sob meu ataque desesperado e virou. Ofeguei arduamente enquanto aguardava para voltar ao meu assento.

"Mas, ao me recuperar nessa breve pausa, retomei a minha coragem. Comecei a olhar para este mundo do futuro remoto com mais curiosidade do que medo. Em uma abertura redonda no alto do muro de uma residência próxima, vi um grupo trajando túnicas de tecido leve. Eles tinham me visto e seus rostos estavam direcionados para mim.

"Então, ouvi vozes aproximando-se. Vindo pelos arbustos próximos à Esfinge Branca, vi cabeças e ombros de alguns homens correndo. Um desses surgiu de uma passagem que dava para o pequeno gramado em que eu estava com minha máquina. Era uma criatura pequena, talvez com um metro e meio, trajando uma túnica roxa, equipada com um cinto de couro em sua cintura. Sandálias ou borzeguins, não consegui discernir, adornavam seus pés; suas pernas estavam desnudas até os joelhos, e sua cabeça não tinha adereços. Percebendo isso, notei pela primeira vez o quão quente o ambiente era.

"A criatura me pareceu extremamente bela e graciosa, mas indescritivelmente frágil. Seu rosto corado fez-me lembrar do mais belo exemplar tuberculoso, aquela beleza febril de que ouvimos tanto falar. Ao vê-lo, eu rapidamente retomei a confiança. E tirei minhas mãos da máquina."

CAPÍTULO 5
NA ERA DE OURO

— Logo estávamos cara a cara, essa frágil criatura futurística e eu. Ele veio ao meu encontro e riu de mim. Logo me toquei da ausência de qualquer sinal de medo nele. Então, ele se virou para os outros dois que o estavam seguindo e falou-lhes em uma língua estranha, mas doce e fluida.

"Outros estavam a caminho, e imediatamente um pequeno grupo de talvez oito ou dez belas criaturas me cercava. Um deles se dirigiu a mim. Constatei, estranhamente, que minha voz era muito brusca e profunda para eles me entenderem. Então, balancei minha cabeça e, apontando para minhas orelhas, balancei novamente. Ele deu um passo à frente, hesitou por um momento e tocou a minha mão. Logo senti outros pequenos e leves toques em minhas costas e ombros. Eles queriam se certificar de que eu era real. Não havia nada a temer com isso. Na verdade, havia alguma coisa nessas pessoinhas delicadas que inspirava confiança, talvez a gentileza graciosa, ou o ar infantil que emanavam. E, além disso, eles pareciam tão frágeis, que acho que conseguiria derrubar uma dezena como pinos de boliche. No entanto, fiz um movimento repentino para alertá-los quando do vi aquelas pequenas mãos rosadas tateando a Máquina do Tempo. Felizmente, antes tarde do que nunca, pensei no perigo que havia esquecido até então e, alcançando as barras da máquina, desatarraxei as pequenas alavancas que a colocariam para funcionar e guardei-as em meu bolso. Depois, virei-me novamente para eles para tentar achar algum modo de me comunicar.

"E, assim, analisando mais atentamente suas feições, vi algumas peculiaridades além da beleza delicada que lembrava a porcelana de Dresden. O cabelo deles, que tinha cachos uniformes, apresentava um corte bem pronunciado na altura da nuca e das bochechas; não havia indícios de pelos no rosto, e suas orelhas eram, em especial, muito pequenas. Suas bocas eram delicadas, de um vermelho vivo, lábios um pouco finos e pequenos queixos pontudos. Os olhos eram grandes e tenros; e pode parecer presunção, mas havia uma certa falta de interesse da parte deles que eu não esperava.

"Como eles não fizeram esforço algum para se comunicar comigo, além de ficarem à minha volta sorrindo e falando com aquelas notas suaves entre si, eu comecei a conversa. Apontei para a Máquina do Tempo e para mim. Então, após hesitar um pouco, pensando em como lhes explicar o Tempo, apontei para o sol. A princípio, uma pequena figura vestida de xadrez roxo e branco repetiu o meu gesto e então me surpreendeu ao imitar o ressoar de um trovão.

"Por um momento, eu me sobressaltei, apesar de o significado de seu gesto ter sido óbvio o bastante. O que logo me questionei foi: seriam essas criaturas um bando de tolos? Vocês podem não entender o porquê de eu pensar assim. Vejam, eu sempre esperei que as pessoas nos anos Oitocentos e Dois Mil seriam inacreditavelmente mais avançadas do que nós no conhecimento, nas artes, em tudo. Até que um deles, repentinamente, me fez uma pergunta que mostrava que ele parecia ter o intelecto de uma criança de seis anos: indagou se eu tinha vindo, na verdade, do sol durante a tempestade de trovões! Isso abrandou meu julgamento sobre suas roupas, seus membros frágeis e feições delicadas. Uma onda de decepção me invadiu. Por um instante, senti que havia construído a Máquina do Tempo em vão.

"Eu assenti, apontei para o sol e dei-lhes uma imitação de trovoada tão vívida, que os assustei. Todos recuaram um passo ou mais e se curvaram. Então um deles veio rindo em minha direção, trazendo consigo um colar de lindas flores, até então desconhecidas por mim, e o colocou ao redor do meu pescoço. O ocorrido foi seguido de melodiosos aplausos; e logo todos estavam correndo atrás de flores, e, rindo, me adornaram até eu estar praticamente coberto de botões. Vocês, que jamais viram tal coisa, não conseguiriam imaginar as delicadas e maravilhosas flores que serão cultivadas daqui a incontáveis anos. Então, alguém sugeriu que a brincadeira deles fosse exibida no edifício mais próximo, e assim fui guiado em direção a uma grande construção de pedra cinzenta, passando pela esfinge de mármore branco, que parecia acompanhar-me por todo o tempo sem deixar de sorrir, para meu atordoamento. Conforme os acompanhava, recordei-me, com certo júbilo, das minhas confiantes previsões de encontrar uma posteridade profundamente séria e intelectual.

"O edifício possuía uma entrada enorme e era completamente colossal. Eu estava particularmente mais preocupado com o crescente grupo de pessoinhas e com os enormes portais que se agigantavam à minha frente de forma sombria e misteriosa. A minha impressão geral daquele mundo, que via por cima da cabeça deles, era a de ser uma vasta mistura intrincada de arbustos e flores maravilhosos em um jardim havia muito negligenciado, embora sem ervas daninhas. Vi inúmeros espinhos com estranhas flores brancas, algumas com até trinta centímetros em suas amplas pétalas. Elas cresciam por todo canto, como se fossem selvagens, dentre tipos variados de arbustos, mas, conforme lhes digo, não cheguei perto para analisá-las dessa vez. A Máquina do Tempo foi deixada sozinha no gramado cercado pelos rododendros.

"O arco da entrada era ricamente entalhado, mas obviamente eu não observei as gravuras em maiores detalhes, no entanto notei alguns indícios de antigos padrões fenícios ao passar por ele, além de perceber que estavam bem deterioradas e gastas pelo tempo. Muitas outras pessoas vestindo os mesmos trajes me encontraram na entrada, e entramos; eu com minhas vestes sujas do século dezenove, parecendo o mais bizarro possível, adornado pelas flores e cercado por uma enorme massa de túnicas brilhantes e levemente coloridas e níveos membros, em um turbilhão melodioso de risos e gargalhadas.

"A grande porta da entrada abriu-se para um salão igualmente grande. O teto estava na escuridão, e as janelas, algumas com vitrais e outras transparentes, permitiam a entrada da luz. O chão era constituído por blocos enormes de alguma espécie de metal branco; não eram placas ou lâminas, eram blocos; e estava tão gasto pelas idas e vindas das gerações passadas a ponto de sulcar os caminhos mais frequentemente utilizados. Transversalmente, havia inúmeras mesas feitas de placas de pedra polida, a uns trinta centímetros do chão, e, sobre elas, montes de frutas. Algumas eu reconheci como um tipo desenvolvido de framboesa e laranja, mas a maioria delas era muito estranha para mim.

"Entre as mesas, havia um grande número de almofadas espalhadas. Sobre estas, meus condutores logo se sentaram e sinalizaram para eu assim proceder. Sem cerimônias, eles começaram a comer as frutas com as mãos, jogando cascas, e talos, e assim por diante nas pequenas aberturas nos cantos opostos das mesas. Não fiquei nem um pouco relutante em seguir o exemplo deles, pois estava com fome e sede. Assim o fiz enquanto analisava o saguão para meu contento.

"Talvez o que me tenha chamado mais a atenção foi seu aspecto deteriorado. Os vidros coloridos da janela, que ostentaram algum dia um padrão geométrico, estavam quebrados, e as cortinas dependuradas no canto mais baixo estavam encardidas. Notei também que estava quebrado o canto da mesa de mármore próxima de onde eu estava. De qualquer forma, o efeito era extremamente rico e peculiar. Havia ao menos umas duzentas pessoas comendo no salão, e a maioria delas se sentava ao meu redor, o mais perto que conseguia, e assistia-me com interesse e olhos brilhando, enquanto comia suas frutas. Todos trajavam o mesmo tecido leve, sedoso e igualmente resistente.

"Pelo que entendi, a dieta deles consistia somente em frutas. Essas pessoas do futuro remoto eram estritamente vegetarianas e, enquanto estive com elas, apesar de meus instintos carnívoros, segui a dieta frutívora também. Na verdade, descobri depois que cavalos, gado, ovelhas, cães haviam seguido o ictiossauro em direção à extinção. Mas até que as frutas eram extremamente deliciosas; uma, em particular, parecia dar o tempo inteiro enquanto estive por lá, uma coisa farinhenta com uma casca de três lados; era realmente gostosa, e tornei-a meu alimento preferido. A princípio, estive intrigado com todas essas frutas estranhas e todas as flores estranhas que vi, mas depois comecei a notar seu significado.

"Contudo, conforme lhes conto, o meu jantar de frutas está em um futuro muito distante. Assim que meu apetite foi saciado, decidi retomar a tentativa de aprender o dialeto desses novos homens. Claramente, esse era o próximo passo a ser tomado. As frutas pareciam o tópico mais conveniente para começar, e, segurando uma delas, tentei elaborar perguntas com sons e gestos. Tive uma dificuldade considerável em transmitir o que eu queria dizer. A princípio, meus esforços geraram uma série de olhares e intermináveis gargalhadas, mas logo uma criaturinha de cabelos claros pareceu ter entendido e repetiu um nome. Eles tiveram de conversar e explicar o que estava acontecendo para cada um, e minhas primeiras tentativas de gerar os belos sons de seu dialeto provocaram um grande e genuíno divertimento para eles, apesar de rude. Não obstante, senti-me como um educador entre crianças e persisti, até enfim ter à minha disposição alguns substantivos comuns, os pronomes demonstrativos e até o verbo 'comer'. Mas era um trabalho de formiguinha, e as pessoas logo se cansaram e tentaram evadir-se de meus questionamentos. Então decidi, mais por necessidade, que lhes daria aulas, em pequenas doses, quando sentissem vontade. E realmente foram em pequenas doses, pois jamais conheci pessoas tão indolentes ou que se cansassem com tanta facilidade."

CAPÍTULO 6
O OCASO DA HUMANIDADE

— Algo bem curioso que logo descobri sobre meus anfitriões era sua perceptível falta de interesse. Eles vinham me ver com gritos ávidos e maravilhados, como crianças, mas também como crianças eles logo paravam de me analisar e começavam a vagar atrás de alguma outra novidade. O jantar e as iniciativas de conversas acabaram, e notei, pela primeira vez, que praticamente todos que me cercavam a princípio já não estavam por perto. É estranho também como logo passei a fazer pouco caso dessas pessoinhas. Passei pelo portal novamente em direção ao mundo ensolarado assim que minha fome foi saciada. Segui encontrando, sem parar, cada vez mais desses homens do futuro, que me seguiam a uma curta distância conversando e rindo de mim; e, sorrindo e gesticulando de modo amigável, eles me deixavam novamente sozinho.

"A calmaria da noite lançara-se sobre o mundo conforme saía do grande salão, e a cena iluminava-se com o brilho cálido do sol poente. A princípio, tudo era muito confuso. Era tudo tão diferente do mundo a que eu estava acostumado, até as flores. O grande edifício que deixei estava situado em um declive no vale de um rio, pois o Tâmisa havia mudado seu curso, talvez por mais de um quilômetro e meio de sua atual posição. Resolvi escalar o cume de uma montanha, a cerca de uns dois quilômetros dali, para poder ter uma visão melhor de nosso planeta no ano Oitocentos e Dois Mil Setecentos e Um d.C. Essa, devo dizer, era a data registrada pelos pequenos marcadores da minha máquina.

"Conforme andava, buscava quaisquer indícios que me pudessem ajudar a entender a condição esplendorosamente decadente em que encontrei o mundo, de tão arruinado que estava. No caminho da colina, por exemplo, vi um grande amontoado de granito junto a uma grande quantidade de alumínio, um amplo labirinto de muros íngremes e montes aglomerados, no meio dos quais parecia haver grandes amontoados de belíssimas plantas que lembravam ramos de figueira, provavelmente de urtiga, mas maravilhosas com suas folhas tingidas de marrom e incapazes de ferroar. Era evidente que o que sobrara da grande estrutura estava abandonado, mas tampouco poderia dizer para o que aquilo servia. Era ali que eu estaria destinado, mais tarde, a passar por uma experiência muito estranha, o primeiro indício de uma descoberta ainda mais estranha, mas a respeito da qual só entrarei em detalhes quando convier.

"Olhando à minha volta de uma plataforma em que parara para descansar, subitamente percebi que não havia nenhuma casa à vista. Aparentemente, qualquer tipo de casa, ou até mesmo de residência, desaparecera. Aqui e acolá, só distinguia edifícios grandes como palácios entre o verde, mas as casas e choupanas características de nosso estilo inglês haviam desaparecido.

"'Comunistas', disse para mim mesmo.

"E em seguida veio outra consideração. Olhei para a meia dúzia de pessoas que me seguia. Então, de súbito, percebi que todos possuíam o mesmo tipo de roupa, a mesma aparência sem pelos e a mesma delicadeza feminina dos membros. Pode parecer estranho eu não ter notado isso antes. Mas tudo lá era estranho. Agora, via tudo claramente. Com as roupas, tirando as diferenças em texturas e no comportamento que variava entre os gêneros, todas essas pessoas do futuro se assemelhavam. E as crianças pareciam nada mais do que miniaturas de seus pais. Pressupus que as crianças daquela época fossem extremamente precoces, ao menos fisicamente, e depois obtive confirmação abundante de minha teoria.

"Vendo a facilidade e a segurança com que essas pessoas viviam, senti que uma proximidade entre os gêneros era, de fato, de se esperar; pois a força de um homem e a delicadeza de uma mulher, a instituição de uma família e a diferenciação de papéis eram necessidades bélicas de uma era que exaltava a força bruta. Quando a população está equilibrada e abundante, ter filhos torna-se algo tão ruim, que já não é mais uma bênção para o Estado; quando a violência raramente ocorre e os filhos estão seguros, há menos necessidade, na verdade não há necessidade alguma, de se ter uma família funcional, além de fazer desaparecer qualquer distinção entre os gêneros como referência às necessidades para as crianças. Nós vemos alguns movimentos disso em nosso dia a dia, e nessa época futura eles se concretizam.

Isso, devo lembrar-lhes, era o que especulava até então. Depois, compreendi o quão longe da realidade estava.

"Enquanto meditava sobre tais coisas, a minha atenção foi atraída por uma pequenina estrutura, como um poço debaixo de uma cúpula. Pensei em como era estranho que poços ainda existissem e retomei o fio da meada. Não havia grandes construções em direção ao topo da colina, e, como a minha capacidade de caminhar era evidentemente milagrosa, fui pela primeira vez deixado sozinho. Com um estranho sentimento de liberdade e aventura, fui em direção ao cume.

"Lá encontrei um pedestal de algum tipo de metal amarelo, que não pude reconhecer, corroído por uma ferrugem rosácea e parcialmente oculto por musgo; os descansos de braço eram curvos e pareciam cabeças de grifos. Eu me sentei e observei aquela ampla visão de nosso antigo mundo sob o pôr do sol daquele longo dia. Era uma vista tão doce e bela como jamais havia presenciado. O sol já tinha se despedido no horizonte, e o oeste flamejava com uma luz dourada, tocada por algumas pinceladas de roxo e carmim. Abaixo, estava a várzea do Tâmisa, onde o rio seguia seu curso como uma faixa de aço reluzente. Eu já comentei sobre os grandes palácios salpicados entre a imensidão verde, alguns em ruínas e outros ainda ocupados. Aqui e acolá, surgia uma figura branca ou prateada no solitário jardim da terra; aqui e acolá, surgia uma silhueta vertiginosamente pontuda de alguma cúpula ou obelisco. Não havia cercas, nem sinais de propriedades privadas, tampouco indícios de agricultura; a terra toda se tornara um jardim.

"Assistindo àquilo, comecei a analisar o que vi e como as coisas pareciam para mim naquela noite; as minhas considerações não eram de todo equivocadas. (Depois disso, descobri que só tinha compreendido parcialmente a verdade, ou apenas um mero vislumbre do que seria um lado da verdade.)

"Parecia que eu estava presenciando o ocaso da humanidade. A vermelhidão do sol poente me fez pensar no sol dos humanos se pondo. Pela primeira vez, comecei a perceber uma estranha consequência do esforço social que estamos promovendo no momento. E, ainda assim, parando para pensar, é uma consequência bem lógica. A força deriva da necessidade, a segurança promove a fraqueza. O trabalho de melhorar as condições de vida, o verdadeiro processo civilizatório que torna a vida cada vez mais segura, aparentemente chegara a seu ápice. Um triunfo de uma humanidade unida sobre a Natureza procedido por outros. As coisas que hoje são meros sonhos tornaram-se projetos deliberadamente postos em prática e com resultados efetivos. E o que via eram os resultados!

"Afinal, o processo de saneamento e a agricultura dos dias de hoje ainda se encontram em seus estágios mais iniciais. A ciência de nosso tempo só alcançou um pequeno setor no campo de estudos das doenças humanas, mas, mesmo assim, segue avançando suas operações de modo constante e persistente. A nossa agricultura e horticultura destroem as ervas daninhas aqui e ali e semeiam apenas uma parcela ou mais de plantas proveitosas, deixando inúmeras outras espécies batalhando por um equilíbrio por conta própria. Nós aprimoramos nossas plantas e nossos animais preferidos – e quão poucos são –, gradativamente, por procriação seletiva; e temos assim um pêssego novo e melhorado, uma uva sem sementes, uma flor maior e mais perfumada, uma raça mais conveniente de gado. Nós os melhoramos gradativamente, porque nossos ideais são vagos e experimentais, e nosso conhecimento é extremamente limitado; do mesmo modo que a Natureza também é tímida e vagarosa em nossas mãos desastradas. Um dia, tudo será mais bem organizado e aprimorado. Essa é a tendência, apesar de todas as dificuldades. O mundo todo será inteligente, educado e cooperativo; as coisas se moverão cada vez mais rápido para subjugarmos a Natureza. No fim, de modo cauteloso e sábio, reajustaremos o equilíbrio da vida animal e vegetal para atender às nossas necessidades humanas.

"Esse ajuste, devo dizer, tem de ser feito e feito direito; e feito, de fato, por todo o Tempo, pelo que notei no espaço de Tempo que minha máquina saltou. O ar estava sem mosquitos, a terra livre de ervas daninhas ou fungos; por todo lado havia frutas e flores perfumadas e maravilhosas; borboletas vibrantes voavam de lá para cá. O ideal da medicina preventiva fora alcançado. As doenças haviam sido exterminadas. Não vi vestígio de doença contagiosa durante a minha estada. E devo dizer-lhes, mais tarde, que até os processos de decomposição e putrefação foram profundamente afetados por essas mudanças.

"Os triunfos sociais também foram afetados. Vi a humanidade residir em abrigos esplêndidos, vestir-se gloriosamente, e, ainda assim, não a vi engajada em nenhuma labuta. Tampouco vi quaisquer sinais de luta, tanto sociais quanto econômicas. As lojas, a publicidade, o trânsito e todo o comércio que constituem o que temos em nosso mundo haviam desaparecido. Era natural que naquela noite eu me precipitasse na ideia de um paraíso social. Supus que o aumento populacional tivesse enfrentado dificuldades e a população tivesse parado de crescer.

"No entanto, com todas essas mudanças na condição, vem a inevitabilidade das adaptações à mudança. O que, a menos que a biologia esteja completamente errada, é a causa do vigor e da inteligência humana? O trabalho duro e a liberdade: condições em que os mais ativos, fortes e hábeis sobrevivem, e os mais fracos não; condições que valorizam a aliança da capacidade com o autocontrole, a paciência e o juízo. A instituição da família, as emoções que surgem ao se constituir uma, o ciúme excessivo, o carinho pelos filhos, a devoção parental encontravam justificativas no sustento e nos perigos iminentes aos jovens. Agora, onde estavam esses perigos iminentes? Há um sentimento surgindo e que crescerá contra o ciúme conjugal, contra a ferocidade maternal, contra qualquer tipo passional; coisas desnecessárias no momento e coisas que nos tornam inconformados, meros sobreviventes selvagens, discordantes de uma vida refinada e agradável.

"Pensei na forma física dessas pessoas, em sua falta de inteligência e naquelas grandes e ricas ruínas; o que reforçou a minha crença sobre nosso perfeito domínio da Natureza. Pois, após a tempestade, vem a calmaria. A humanidade foi forte, enérgica e inteligente e usou toda a sua abundante vitalidade para mudar as condições em que vivia. E agora sobreviera o resultado de tais alterações.

"Sob as novas condições de conforto e segurança, aquela energia incansável que nos fortalecia tornar-se-ia nossa fraqueza. Até mesmo em nosso próprio tempo, algumas tendências e almejos, uma vez necessários para nossa sobrevivência, são uma fonte inesgotável de fracassos. A coragem e o amor pela batalha, por exemplo, não foram de ajuda – até devem ter sido empecilhos – para o homem civilizado. E, em um estado de equilíbrio físico e segurança, a força, tanto intelectual quanto física, parecia desnecessária. Por incontáveis anos, julguei que não tivesse havido nenhuma ameaça de guerra ou de violência gratuita, nenhum perigo de bestas selvagens, nenhuma doença avassaladora que exigisse uma certa constituição física, tampouco necessidade de labuta. Considerando tal estilo de vida, os que nós chamamos de fracos estão tão bem qualificados quanto os fortes, logo, não são mais fracos. E, de fato, eles eram mais qualificados, pois os fortes seriam tomados por uma energia que não conseguiriam ventilar. Sem dúvidas, a beleza requintada das edificações que vi era o resquício dos últimos levantes da energia, por ora sem propósito, da humanidade antes de se estabelecer em perfeita harmonia com as condições sob as quais vivia; o florescer daquela conquista que deu início à última grande paz. Esse sempre foi o destino da energia quando se há segurança; ela se volta para a arte e para o erotismo, então se torna languidez e decadência.

"Até mesmo o ímpeto artístico haveria de se dissipar – tinha praticamente desaparecido no Tempo que vi. Adornar-se com flores, dançar, cantar ao raiar do sol: era tudo o que restara do espírito artístico e nada mais. Até isso desapareceria no final. Nós nos mantemos aficionados pela pedra de amolar da dor e necessidade, e parecia-me que essa odiosa pedra finalmente se partira!

"Enquanto estive lá naquele breu, pensei que com essa simples conjectura eu havia compreendido o problema daquele mundo, compreendido todos os segredos dessas pessoas intrigantes. Provavelmente, as medidas que tomaram para evitar o aumento populacional haviam surtido efeito, e seus números haviam reduzido a ponto de se manterem estáveis. Isso explicaria as ruínas abandonadas. A minha conjectura era muito simples e suficientemente plausível – assim como a maioria das teorias errôneas!"

CAPÍTULO 7
UM SÚBITO ESTARRECIMENTO

— Enquanto estive lá contemplando essa vitória perfeita demais do homem, a lua, amarela e quase cheia, surgiu transbordando uma luz prateada no noroeste. As pequenas figuras brilhantes pararam de se mover lá embaixo, uma coruja silenciosa sobrevoou por perto e tremi com o esfriar da noite. Decidi descer e encontrar um lugar para conseguir dormir.

"Procurei pelo edifício que conhecia. Então meus olhos vagaram até a figura da Esfinge Branca sobre o pedestal de bronze, crescendo distintamente conforme a luz da lua nascente ficava cada vez mais brilhante. Conseguia discernir o caule prateado da bétula contra ela. Havia um emaranhado de arbustos de rododendros, pretos sob a luz pálida, e lá estava o pequeno gramado. Olhei para lá de novo. Uma dúvida perturbadora arrebatou-me. 'Não', disse de forma resoluta para mim mesmo, 'esse não é o gramado certo'.

"Mas *era* o mesmo gramado. Pois o rosto leproso da esfinge estava em sua direção. Vocês podem imaginar o que eu senti quando tudo aquilo fez sentido para mim? Não, não conseguiriam. A Máquina do Tempo havia desaparecido!

"Imediatamente, como um tapa na cara, veio a possibilidade de perder minha própria era, de ser deixado desamparado naquele estranho novo mundo. A mera ideia causou-me uma sensação real de dor física. Eu pude sentir a pressão na minha garganta dificultando-me a respiração. Em outro momento, fui tomado pelo medo irracional e comecei a correr com passadas largas ladeira abaixo. Caí de cabeça para baixo e cortei meu rosto; não perdi tempo para estancar o sangue, mas saltei e segui correndo com o filete quente escorrendo por minha bochecha e queixo. Durante o tempo que corri, fui dizendo para mim mesmo: 'Eles apenas a moveram um pouco, empurraram-na para longe do caminho por trás dos arbustos'. De qualquer forma, corri com todas as minhas forças. Todo o tempo, com a certeza que vem às vezes da preocupação exagerada, sabia que tal certeza seria tolice, sabia instintivamente que haviam tirado a máquina de meu alcance. Sentia dores já ao respirar. Acredito que tenha corrido toda a distância do alto da montanha até o pequeno gramado, quase uns três quilômetros, em dez minutos. Eu não sou mais jovem. Praguejei, conforme corria, sobre minha tola ideia de deixar a máquina, desperdiçando o fôlego que ainda tinha. Gritei e ninguém respondeu. Nenhuma criatura parecia mover-se naquele mundo iluminado pela lua.

"Quando cheguei ao gramado, meus maiores medos haviam se concretizado. Não havia rastro algum. Senti-me fraco e gelado ao encarar o espaço vazio entre o emaranhado de arbustos. Corri furiosamente ao redor, como se a coisa pudesse estar escondida em algum canto, e então parei abruptamente, agarrando meus cabelos. Acima de mim, estava a esfinge sobre seu pedestal de bronze, branca, brilhante, leprosa, à luz da lua. Ela parecia zombar de minha angústia.

"Seria um consolo pensar que aquelas pessoinhas haviam guardado o mecanismo em algum abrigo para mim, se eu não tivesse certeza sobre a inadequação física e intelectual delas. Isso era o que mais me angustiava: a ideia de alguma força oculta cuja intervenção fizera minha máquina desaparecer. Ainda assim, eu tinha uma certeza: a menos que alguma outra era tivesse fabricado uma duplicata idêntica, a máquina não poderia ter se movido no Tempo. A retirada das alavancas, o que depois lhes mostrarei com mais detalhes, impedia qualquer um que quisesse usá-la de tal forma. Ela havia sido movida e escondida, só que no Espaço. Então, onde poderia estar?

"Acredito que tenha tido um frenesi. Lembro-me de correr enlouquecidamente por entre os arbustos iluminados pela lua ao redor da esfinge e assustar um animal branco que, na penumbra, parecia ser um pequeno cervo. Lembro-me também de bater nos arbustos com punhos cerrados até os nós dos meus dedos cortarem e sangrarem por conta dos galhos que quebrei, mais tarde naquela mesma noite. Então, soluçando e encolerizado por minhas angústias, retornei para a grande construção de pedra. O grande salão estava escuro, silencioso e deserto. Escorreguei no chão desnivelado e caí sobre uma das mesas de malaquita, quase quebrando minha canela. Acendi um fósforo e passei pelas cortinas empoeiradas, as quais já mencionei a vocês.

"Lá me deparei com um segundo grande salão, com várias almofadas espalhadas, nas quais algumas dezenas de pessoas dormiam. Não tive dúvidas de que acharam minha segunda aparição suficientemente estranha, surgindo de repente no meio da escuridão sombria, fazendo sons incompreensíveis, além do acender e do brilho do fósforo. Pois eles não sabiam mais o que era um fósforo. 'Onde está minha Máquina do Tempo?', comecei, berrando como uma criança furiosa e pondo minhas mãos sobre eles para sacudi-los. Deve ter sido bem bizarro para eles. Alguns riram, a maioria pareceu sinceramente assustada. Quando os vi em pé ao meu redor, percebi que estava fazendo a coisa mais idiota que poderia naquela circunstância, ao tentar reviver a sensação de medo neles. Pois, considerando seu comportamento durante o dia, pensei que houvessem esquecido o que era medo.

"De forma abrupta, baixei o fósforo e, derrubando uma das pessoas em meu caminho, fugi tropeçando pelo grande salão de jantar e saí para a luz do luar. Ouvi gritos de pavor e seus pezinhos correndo e tropeçando de um lado para o outro. Não me lembro de tudo que fiz enquanto a lua subia no céu. Acredito que foi a natureza inesperada de minha perda que me fez enlouquecer. Sentia-me irremediavelmente tirado de minha própria espécie, um animal estranho em um mundo desconhecido. Devo ter delirado enquanto gritava e chorava por Deus e pelo Destino. Recordo-me de ficar terrivelmente exausto conforme a longa noite de desespero ia se esvaindo; de olhar para esse lugar impossível; de tatear por entre as ruínas iluminadas pela lua e tocar algumas criaturas estranhas nas sombras escuras; lembro-me, finalmente, de deitar-me no chão perto da esfinge e soluçar em completa derrocada, até a raiva pela minha insensatez de ter deixado a máquina sozinha abandonar-me, aos poucos, junto de minhas forças. Não sentia nada além de desespero. Então dormi e, quando acordei novamente, já era pleno dia, e alguns pardais saltitavam ao meu redor, na grama, ao alcance de minhas mãos.

"Sentei-me no frescor da manhã, tentando me lembrar de como havia chegado ali e por que tinha aquele sentimento profundo de desespero e desamparo. Então as coisas ficaram nítidas de novo. Com a lógica da clara luz da manhã, pude encarar enfim minhas circunstâncias de modo racional. Vi a imensa tolice do meu frenesi na noite anterior e consegui racionalizar comigo mesmo. 'Supondo o pior', comecei a argumentar, 'supondo que a máquina esteja completamente perdida, ou até mesmo destruída, cabe a mim manter-me calmo e paciente, aprender as maneiras dessas pessoas, ter uma ideia melhor sobre como eu a perdi e como poderei pegar insumos e ferramentas, para que então possa criar outra'. Essa seria minha única esperança, uma bem fraca, mas era melhor do que me desesperar. E, afinal, aquele mundo era bonito e curioso.

"Mas, provavelmente, a máquina apenas fora roubada. Ainda assim, deveria me manter calmo e paciente para encontrar seu esconderijo e recuperá-la à força ou por meio de minha destreza. Tomada a decisão, levantei-me e olhei à minha volta, procurando um local para me banhar. Sentia-me esgotado, morto e sujo pela viagem. O frescor da manhã fez-me desejar refrescar-me também. Estava exaurido por todas as minhas emoções. Na verdade, conforme me ocupava de meus afazeres, comecei a questionar-me sobre minha intensa irritação durante a noite. Analisei atentamente o terreno próximo ao pequeno gramado. Desperdicei tempo demais tentando, da melhor maneira possível, questionar futilmente as pessoinhas que surgiam. Todos falharam em entender meus gestos; alguns simplesmente me olhavam de modo apático, alguns achavam que era alguma brincadeira e riam de mim. Segurei-me arduamente para manter minhas mãos longe daqueles rostos belos e debochados. Era um impulso tolo, mas o diabo gerado de minha raiva e medo ainda estava à espreita, mal contido e prestes a se aproveitar de minha perplexidade. A relva aconselhava-me melhor. Encontrei sulcos estampados na área gramada, no caminho entre o pedestal da esfinge e as marcas de minhas pegadas, onde, ao chegar, tivera dificuldades ao revirar a máquina. Havia outros indícios de que ela fora removida, com pegadas estranhamente alongadas, como as que uma preguiça deixaria. Isso atraiu minha atenção para o pedestal. Ele era, creio que já o disse, de bronze. Não era um mero bloco, mas algo extremamente decorado com painéis emoldurados em todos os lados. Fui e bati neles. O pedestal era oco. Examinando os painéis cautelosamente, encontrei uma diferença entre as molduras. Não havia maçanetas ou fechaduras, mas os painéis, que eu acreditava serem portas, provavelmente abriam por dentro. Uma coisa era óbvia. Não era preciso ser um gênio para saber que a Máquina do Tempo estava dentro do pedestal. Mas como ela fora parar lá era algo completamente diferente.

"Vi as cabeças de duas pessoas trajando laranja surgirem por entre os arbustos, por baixo de algumas macieiras floridas, e estas vieram em minha direção. Virei-me sorrindo para elas e acenei para se aproximarem. Elas vieram, e, então, apontando para o pedestal de bronze, tentei mostrar o meu desejo de abri-lo. Mas, ao meu primeiro gesto, elas se comportaram de maneira estranha. Não sei se conseguiria explicar a reação delas a vocês. Imaginem se usassem um gesto impróprio e grosseiro para uma mulher sensível: é assim que ela reagiria. Elas correram como se tivessem recebido o mais extremo dos insultos. Tentei conversar depois com um garotinho de aparência agradável, vestido de branco, mas obtive o mesmíssimo resultado. De alguma forma, aquela reação deixava-me envergonhado. Mas, como vocês sabem, eu queria a Máquina do Tempo e tentei mais uma vez com ele. Quando ele fugiu, assim como os demais, fui tomado pela raiva. Em três grandes passadas, consegui agarrá-lo pelo colarinho solto de sua túnica e comecei a arrastá-lo em direção à esfinge. Então percebi o horror e o pavor em suas feições e o liberei imediatamente.

"No entanto, eu ainda não havia sido derrotado. Bati com meus punhos nos painéis de bronze. Pensei ter ouvido algo mover-se lá dentro; para ser mais claro, pensei ter ouvido algo como uma risada, mas devia estar enganado. Então, peguei uma pedra grande do rio e comecei a martelar até achatar uma das espirais decorativas e o azinhavre soltar--se em pequenos flocos. As delicadas pessoinhas devem ter me ouvido martelando revoltado com ambas as mãos a quilômetros de distância, mas sem resultados. Avistei uma multidão delas em cima das colinas olhando-me de soslaio. Enfim, cansado e febril, sentei-me para vigiar o local. Mas estava muito inquieto para vigiar por muito tempo; sou ocidental demais para tal vigília. Eu conseguiria trabalhar por anos para solucionar um problema, mas ficar aguardando sem fazer nada por 24 horas – aí é bem diferente.

"Levantei-me depois de um tempo e comecei a vagar sem rumo por entre os arbustos, novamente em direção à colina. 'Paciência', disse para mim mesmo. 'Se quiser ver sua máquina de novo, você terá de deixar a esfinge por um tempo. Se levaram a máquina de propósito, destruir os painéis de bronze não fará nenhum bem, e, se não foi de propósito, logo a terá de volta, assim que conseguir falar com eles. É inútil ficar sentado aqui, no meio de todos esses enigmas. Isso só gera fixação. Hora de encarar este mundo. Aprender seus modos, observar, ter cuidado com suposições precipitadas. No final, você achará as respostas.' Então me toquei da ironia da situação: os anos que passei estudando e trabalhando para viajar ao futuro e, agora, meu desejo e minha ansiedade de voltar ao presente. Criei para mim mesmo a mais complicada e desesperadora armadilha. Embora fosse às minhas custas, não consegui segurar. Comecei a rir.

"Atravessando o grande palácio, parecia que aquelas pessoinhas me evitavam. Pode ter sido impressão minha, ou pode ter sido por causa do meu martelar naqueles portões de bronze. Ainda assim, senti que de fato me evitavam. Contudo, tive cuidado para não mostrar nenhuma preocupação, além de me abster de persegui-las, o que, no decorrer de um ou dois dias, deixaria as coisas do jeito como estavam antes. Fiz o máximo de progresso que pude com a linguagem deles, além de ter aumentado um pouco mais minhas explorações por lá. Ou esqueci algo completamente sutil, ou a linguagem deles era excessivamente simplória, quase toda composta de verbos e substantivos concretos. Parecia haver poucos (se é que havia algum) termos abstratos, ou pouco uso de linguagem figurada. Suas frases, em geral, eram bem simples e formadas por duas palavras, e falhei em compreender qualquer frase mais complexa. Decidi parar de pensar um pouco na Máquina do Tempo e no mistério das portas de bronze embaixo da esfinge, até que conseguisse acumular conhecimento suficiente para solucionar tais enigmas da forma mais natural possível. Ainda assim, vocês podem compreender, havia um certo sentimento prendendo-me em um círculo de poucas milhas ao redor do ponto de minha chegada."

CAPÍTULO 8
EXPLICAÇÃO

— Até onde vi, o mundo todo exibia a mesma riqueza exuberante que o vale do rio Tâmisa. De cada colina que escalei, vi a mesma abundância de edificações esplendorosas, infinitamente variadas em materiais e estilos, e o mesmo amontoado de sabugueiros, as mesmas árvores floridas e as mesmas samambaias. Aqui e acolá, as águas brilhavam como prata, e mais além a terra surgia com suas colinas ululantes até se fundirem com a serenidade azul do céu. Uma característica intrigante chamou a minha atenção em um determinado momento: era a presença de alguns poços circulares, que me pareciam ser extremamente fundos. Um jazia no caminho que tomei em direção à colina durante minha primeira caminhada. Assim como os demais, estava circundado por um bronze curiosamente forjado e protegido da chuva por uma pequena cúpula. Sentando-me na beira de um desses poços, olhei para baixo na mais profunda escuridão; não pude ver sinal algum de água, tampouco vislumbrei reflexo algum ao acender um fósforo. Mas, em todos eles, ouvi um tipo de som: um tum-tum-tum, como o trabalhar de alguma grande máquina; e descobri, com a chama de meus fósforos, uma corrente de ar que descia. Depois, joguei uma folha de papel para dentro de um desses e, em vez de esvoaçar lentamente, ela foi sugada rapidamente para baixo e para longe da minha vista.

"Depois de um tempo, também passei a ligar esses poços com as torres altas que se elevavam aqui e acolá subindo as encostas; pois, acima delas, havia uma certa cintilação no ar, como aquela que vemos em um dia quente sobre a areia da praia. Botando as coisas em seu devido lugar, entendi que deveria haver um amplo sistema de ventilação subterrânea, cuja finalidade ainda era difícil de compreender. A princípio, achava que isso estaria ligado ao aparato sanitário utilizado por essas pessoas. Seria uma conclusão óbvia, se eu não estivesse completamente enganado.

"E aqui devo admitir que aprendi muito pouco sobre o sistema de drenos, campainhas, meios de transporte e demais conveniências durante o tempo que passei no futuro. Em algumas dessas visões utópicas e futurísticas que li, há uma imensidão de detalhes sobre as construções, a organização social e assim por diante. Mas, enquanto tais detalhes são fáceis demais de se identificar quando o mundo todo se deriva da imaginação de alguém, eles são completamente inacessíveis quando um viajante realmente se depara com tais realidades como as que encontrei lá. Considerem o que uma pessoa negra, recém-chegada de seu país africano, contaria sobre Londres ao retornar a seu país natal! O que ela saberia sobre as companhias ferroviárias, os movimentos sociais, o telefone e o telégrafo, a companhia de entregas, os correios e coisas do gênero? Ainda assim, nós ao menos estaríamos dispostos a lhe explicar tais coisas! E, mesmo daquilo que soubéssemos, quanto ela conseguiria fazer seus amigos compreenderem ou acreditarem sem o vivenciarem? Então percebam o quão tênue é a diferença entre um homem negro e um branco nos dias de hoje e o quão amplo é o intervalo entre mim e aqueles na Era de Ouro! Eu percebia muito do que não se podia ver, mas que contribuía para o meu conforto; no entanto, salvo pela impressão generalizada de uma organização automática, temo não conseguir explicar-lhes muito.

"Em relação a sepultamentos, por exemplo, não vi indícios de cremação ou sinais de tumbas ou túmulos. Mas me ocorreu que, provavelmente, poderia haver cemitérios (ou crematórios) em algum lugar além de onde já havia explorado. Novamente, esse era mais um mistério que rondava a minha cabeça e que, a princípio, não pôs fim à minha curiosidade. Isso me intrigava, o que me levou a outra constatação, ainda mais intrigante: não havia pessoas enfermas ou de idade entre eles.

"Devo confessar que não foram frutíferas as minhas teorias sobre uma civilização automática e a decadência da humanidade. No entanto, não conseguia pensar em alternativas. Deixem-me expor as dificuldades que encontrei. As grandes construções que explorei eram apenas locais de convivência, salões de jantar e acomodações para se dormir. Não encontrei nenhum maquinário, nenhum utensílio, nada do gênero. Ainda assim, essas pessoas trajavam tecidos finos que provavelmente necessitavam de reparos frequentes, e suas sandálias, apesar de desprovidas de detalhes, eram exemplares complexos com suas estruturas metálicas. De alguma forma, as coisas precisavam ser fabricadas. E aquelas pessoas não aparentavam vestígio algum de tendência criativa. Não havia lojas, oficinas ou algum sinal de comércio ou importação entre eles. Eles passavam o dia todo brincando, banhando-se no rio, fazendo amor de maneira folgada, comendo frutas e dormindo. Eu não conseguia entender como as coisas se desenvolviam.

"Então, de novo, sobre a Máquina do Tempo: alguma coisa, ainda não sabia o que, a havia levado para aquele pedestal oco da Esfinge Branca. Por quê? Por tudo que me era mais sagrado, não conseguia imaginar. Aqueles poços sem água, aquelas pilastras cintilantes também. Eu sentia que estava deixando passar algo. Sentia... como posso dizer? Suponham que tivessem encontrado uma inscrição, com frases aqui e ali perfeitamente escritas e interligadas com algumas palavras inventadas, outras só uma mistura de letras, completamente ininteligíveis. Bom, era assim que o mundo do ano Oitocentos e Dois Mil Setecentos e Um se apresentava para mim durante o terceiro dia de minha visita.

"Naquele dia, também fiz um amigo, de certa forma. Aconteceu que, enquanto observava as pessoinhas banhando-se em uma parte rasa, uma delas, acometida por câimbras, começou a ser arrastada rio abaixo. A correnteza fluía bem rápido, mas não era forte para um nadador leigo. Isso mostra a vocês a ineficiência anormal dessas criaturas, quando lhes digo que nenhuma delas fez menção alguma de resgatar aquela diminuta coisinha chorando enquanto se afogava diante delas. Quando percebi, despi-me às pressas de minhas roupas e, entrando em um ponto mais abaixo, peguei a pobre criatura e levei-a a salvo para a terra. Um leve esfregar em seus membros logo a fez se recuperar, e tive a satisfação em vê-la melhorar antes de deixá-la. Eu tinha tão pouca expectativa sobre sua espécie, que não esperava nenhum agradecimento da parte dela. Nisso, contudo, estava equivocado.

"Isso ocorreu pela manhã. À tarde, encontrei minha mulherzinha, como eu achava que fosse, quando estava voltando de minhas explorações, e ela me recebeu com gritos de alegria e uma coroa de flores que fez exclusivamente para mim. Aquilo me subiu à cabeça. Possivelmente, eu andava inconsolável. De qualquer forma, fiz meu melhor em mostrar apreço pelo presente. Logo estávamos sentados juntos em um pequeno bloco de pedra, conversando e trocando sorrisos. A amabilidade dela era como a de uma criança. Trocávamos flores e ela beijava minhas mãos. E eu lhe fazia o mesmo. Então tentei conversar e descobri que seu nome era Weena, o qual, embora eu não soubesse seu significado, parecia suficientemente apropriado. Assim começou uma bela amizade, que durou uma semana e terminou – como logo lhes contarei!

"Ela era exatamente como uma criança. Queria estar comigo a todo momento. Tentava seguir-me a todos os lugares, e, durante minha próxima jornada, senti uma vontade de cansá-la e deixá-la, por fim, exausta e chamando por mim lamentosamente. Mas os problemas do mundo precisavam ser solucionados. Eu não tinha ido ao futuro para prosseguir com um mero flerte, dizia para mim mesmo. Ainda assim, sua angústia quando a deixei foi imensa, sua censura era por vezes frenética quando nos despedíamos, e acho que, no final, sua devoção gerou tanto problemas quanto alento. De qualquer maneira, ela, de certa forma, provou-se um grande consolo. Achava que fora um mero encanto infantil que a tinha feito apegar-se. Até ser tarde demais, eu não tinha ideia de como a tinha infligido até deixá-la. Não até ser tarde demais e compreender o que ela significava para mim. Pois, por apenas parecer querer-me, e mostrando à sua maneira fraca e fútil que ela se importava, aquela delicada criatura, naquele momento, dava ao meu regresso aos arredores da Esfinge Branca uma sensação que lembrava a volta para casa; e, assim que chegava à colina, eu podia ver sua pequena figura branca e dourada.

"Foi por causa dela também que soube que o medo não havia deixado de existir. Ela era destemida durante o dia e tinha uma estranha confiança em mim; uma vez, durante uma brincadeira, fiz caretas ameaçadoras para ela, que simplesmente riu de todas. Mas ela temia demais o escuro, as sombras e tudo que fosse da cor preta. A escuridão aterrorizava-a. Era uma emoção tão forte, que me fez pensar e observar. Soube depois que, dentre outras coisas, essas pessoinhas reuniam-se nas grandes construções após o anoitecer e dormiam todas juntas. Chegar perto delas sem alguma iluminação só geraria ondas de apreensão. Jamais encontrava alguém do lado de fora, ou alguém dormindo sozinho lá dentro, depois que escurecia. No entanto, eu ainda era cabeça-dura, não me importava com tal medo e, apesar da angústia de Weena, eu teimava em dormir longe daquelas multidões adormecidas.

"Isso a incomodava muito, mas no fim o seu afeto por mim ganhava e, durante as cinco noites que passamos juntos, incluindo nossa última, ela dormiu com a cabeça apoiada em meus braços. Mas a minha história se perde um pouco quando falo dela. Deve ter sido na noite anterior ao seu resgate que eu acordei de madrugada. Eu estava agitado, tendo sonhos desagradáveis em que me afogava e anêmonas do mar tateavam meu rosto com seus leves tentáculos. Acordei sobressaltado e com a estranha sensação de ter visto um animal acinzentado correr pela câmara afora. Tentei dormir novamente, mas estava inquieto e desconfortável. Era aquela hora sombria em que as coisas se esgueiram da escuridão, quando tudo é sem cor e bem delineado, ainda assim irreal. Levantei-me, fui em direção ao grande salão e, de lá, saí e me deparei com as pedras que lajeavam a frente do palácio. Pensei em tirar algum proveito da situação e resolvi ver o nascer do sol.

"A lua já estava se pondo; o luar agonizante e o primeiro raio da aurora encontravam-se em uma pavorosa meia-luz. Os arbustos pareciam tinta; o chão, um cinza sombrio; o céu, sem cor e sem vida. E, lá no alto da colina, acreditei ser possível ver fantasmas. Por três diferentes vezes, ao analisar as encostas, vi figuras de branco. Por duas vezes, imaginei ver uma criatura feito primata correndo sozinha, de modo bem rápido, colina acima e, ao chegar perto das ruínas, vi uma fileira delas carregando um tipo de corpo escuro. Moviam-se apressadamente. Nem vi o que lhes aconteceu. Parecia que haviam desaparecido entre os arbustos. Compreendam que a madrugada ainda deixava tudo indistinto. Sentia aquele frio da incerteza que as primeiras horas da manhã nos trazem. Duvidei então do que via.

"Ao passo que o céu, ao leste, brilhava com mais intensidade, e a luz da manhã surgia com suas cores vivas iluminando o mundo uma vez mais, esquadrinhei a vista cuidadosamente. Mas não vi mais vestígios das figuras em branco. Devem ter sido originadas pela meia-luz. 'Devem ter sido fantasmas', falei; 'pergunto-me de quando eles eram'. Lembrei-me de algumas ideias escritas por Grant Allen, e isso me fez rir. Se cada geração morre e deixa fantasmas, o mundo por fim será tomado por eles, argumentava. Seguindo essa teoria, eles seriam incontáveis nos anos Oitocentos Mil, e não era de admirar ver quatro de uma só vez. Mas o gracejo logo se mostrou insatisfatório, e fiquei a manhã toda pensando nessas figuras, até o resgate de Weena tirá-los de minha cabeça. Eu associava-os àquela forma indefinida de animal branco que assustei durante a minha primeira busca pela Máquina do Tempo. No entanto, Weena tornara-se uma substituta à altura. Ainda assim, todos logo tiveram o mesmo destino obsessivo em minha mente.

"Acredito que já lhes tenha contado que o clima na Era de Ouro era bem mais quente que o nosso. Não consigo nem mensurar o quanto. Pode ser que o sol fosse mais quente, ou que a Terra estivesse mais próxima do sol. É normal pensarmos que o sol gradativamente esfriará no futuro. Mas as pessoas que não estão familiarizadas com as teorias do jovem Darwin esquecem que os planetas, no fim, cairão um a um no corpo celeste. Conforme essas catástrofes ocorrerem, o sol se aquecerá com uma energia renovada; e pode ser que algum planeta mais próximo tenha sofrido esse fim. Qualquer que seja o motivo, o fato é que o sol era bem mais quente do que estamos acostumados.

"Bom, em uma manhã muito quente, a minha quarta, acredito, procurava abrigar-me do calor e olhei para a imensa ruína próxima de onde eu dormia e me alimentava, quando algo estranho aconteceu. Escalando pelas construções de alvenaria aglomeradas, encontrei uma pequena galeria, cujas janelas finais e laterais estavam bloqueadas por grandes blocos de pedra. Contrastando com o brilho lá de fora, a escuridão ali dentro parecia, a princípio, impenetrável. Entrei tateando à espera de a mudança de claridade me atingir e ser invadido por pontinhos de luz. De repente, senti-me enfeitiçado. Um par de olhos, iluminado pelo reflexo contra a luz do dia lá de fora, acompanhava-me na escuridão.

"Aquele antigo instinto do temor de feras selvagens acometeu-me. Cerrei minhas mãos e olhei de soslaio para aqueles olhos. Temia virar-me. Então me lembrei de minha teoria de que a humanidade aparentemente vivia sob completa segurança. Aí recordei o estranho medo do escuro que eles sentiam. Superando até certo ponto o meu medo, dei um passo adiante e comecei a falar. Admito que minha voz soava áspera e vacilante. Estendi minha mão e toquei em algo macio. De pronto se moveram os olhos para os lados, e algo branco passou por mim. Virei-me com o coração na boca e vi uma figura branca que lembrava um primata, sua cabeça pendurada de um jeito estranho, correndo pelo espaço iluminado atrás de mim. Ele tropeçou em um bloco de granito e cambaleou para o lado, e logo em seguida se escondeu sob as sombras de outra pilha de tijolos da ruína.

"Minha impressão sobre isso é, obviamente, imprecisa; mas notei que a Coisa era de um branco sem graça e com grandes e estranhos olhos vermelho-acinzentados; também tinha os cabelos louros, compridos, até as costas. Mas, como eu disse, passou tão rápido por mim, que não consegui discernir muita coisa. Não posso dizer nem se correu com os quatro membros no chão, ou se de forma agachada, com os braços abaixados. Após um instante parado, segui-a até o segundo monte de ruínas. Não consegui encontrá-la a princípio; mas, após um tempo na mais profunda escuridão, deparei-me com mais uma daquelas aberturas como poços, sobre as quais já comentei, parcialmente protegida por uma pilastra caída. Tive uma ideia repentina. Será que aquela Coisa havia descido por ali? Acendi um fósforo e olhei para baixo, quando vi uma criatura pequena e branca movendo-se, cujos olhos brilhantes me encaravam com firmeza enquanto fugia. Isso me fez estremecer. Parecia uma aranha sobre-humana! Estava desgalgando parede abaixo, e vi pela primeira vez alguns apoios de pés e mãos metálicos formando um tipo de escada que descia no poço. Então a chama queimou meus dedos e caiu de minha mão, apagando-se na mesma hora, e, quando acendi outro fósforo, o monstrinho havia desaparecido.

"Não sei por quanto tempo fiquei olhando para baixo no poço. Não demorou muito para enfim me convencer de que aquela Coisa que vi era humana. Mas, aos poucos, a verdade acometeu-me: o Homem não havia permanecido como uma espécie única, mas havia se tornado dois animais distintos. As graciosas crianças do Mundo Superior não eram as únicas descendentes de nossa geração, mas também aquela Coisa alvejada e obscenamente sombria que surgira à minha frente.

"Recordei-me das pilastras cintilantes e de minha teoria de um sistema de ventilação subterrâneo. Comecei a suspeitar do motivo para elas existirem. E o que, eu me perguntava, aquele Lêmure estava fazendo no meu esquema de organização perfeitamente equilibrado? Como isso estaria relacionado àquela indolente serenidade dos belos habitantes da superfície? E o que estaria escondido lá no fundo? Sentei-me à beira do poço, dizendo a mim mesmo que não havia nada a temer e que eu precisava descer para solucionar esses mistérios. Contudo, eu estava morrendo de medo de ir! Enquanto hesitava, duas belas pessoas do Mundo Superior vieram correndo em direção às sombras, durante sua brincadeira amorosa. O macho perseguia a fêmea e jogava-lhe flores enquanto corria.

"Eles pareceram aflitos ao me ver com meu braço apoiado na pilastra caída, espiando o poço. Aparentemente, era um péssimo hábito olhar por essas aberturas; pois, quando apontei para a entrada e tentei questioná-los no idioma deles, eles ficaram ainda mais aflitos e viraram-se. No entanto, interessaram-se em meus fósforos, e peguei alguns mais para entretê-los. Perguntei outra vez sobre o poço, mas novamente sem sucesso. Então, no momento, deixei-os e voltei para Weena, para tentar descobrir algo dela. Porém, minha cabeça não parava de girar; minhas suposições e considerações realinhavam-se e reajustavam-se. Agora eu tinha uma ideia dos motivos por trás daqueles poços, das torres de ventilação, do mistério dos fantasmas; sem contar sobre o significado daqueles portões de bronze e onde estava a Máquina do Tempo! E, aos poucos, comecei a compreender a solução do enigma econômico que tanto me atormentava.

"Ali estava uma nova visão. Claramente, essa segunda espécie humanoide era subterrânea. Havia três motivos que me fizeram crer que sua rara aparição no Mundo Superior derivava de uma longa e contínua vida subterrânea. Em primeiro lugar, havia aquela aparência esbranquiçada tão comum na maioria dos animais que habitam a escuridão, como os peixes brancos nas grutas de Kentucky, por exemplo. Em segundo, aqueles olhos grandes capazes de refletir a luz, aspectos comuns em animais de hábitos noturnos, como vemos nas corujas e nos gatos. E, por fim, aquela evidente aversão ao brilho da luz do sol e a sua fuga apressada e desajeitada para as sombras, além daquele jeito peculiar de mover a cabeça quando exposta à claridade, que só fortalecia minha teoria sobre a sensibilidade extrema de sua retina.

"Sob meus pés, a terra deve ter sido muitíssimo escavada e diversos túneis criados, e tais túneis deveriam ser o habitat daquela Nova Raça. A presença daquelas tubulações e poços de ventilação ao longo das encostas, que estavam de fato por toda parte, com exceção do vale do Tâmisa, mostrou o quão vastas eram suas ramificações. O que mais poderíamos assumir além de esse Submundo artificial ter sido criado para o conforto da raça que habitava à luz do dia? A ideia era tão plausível que a aceitei de imediato e, então, comecei a divagar sobre como as espécies humanas se haviam dividido. Ouso dizer que vocês imaginarão como se sucedeu minha teoria; embora confesse que logo percebi que estava muito aquém da verdade.

"A princípio, seguindo com as complicações de nossa própria época, parecia claro como o dia que a crescente separação entre as diferenças meramente temporais e sociais entre o capitalista e o trabalhador era a chave para a situação toda. Sem dúvidas, parecerá bizarro a vocês, e incrivelmente louco, mas ainda assim há considerações importantes que apontam para esse caminho. Há uma tendência a utilizarmos o espaço subterrâneo para fins menos estéticos de nossa civilização; há, por exemplo, a ferrovia metropolitana em Londres, com seus novos trilhos ferroviários energizados, metrôs, oficinas subterrâneas e restaurantes, além de eles crescerem e se multiplicarem. Evidentemente, concluí que tais tendências cresceram a ponto de a indústria aos poucos perder seu lugar ao sol. O que quero dizer é que ela foi se afundando cada vez mais no Mundo Subterrâneo, com fábricas cada vez maiores, passando cada vez mais tempo lá dentro, até que, por fim...! Hoje mesmo, um trabalhador do extremo leste não vive em condições tão artificiais, que, na prática, é privado da superfície natural da Terra?

"De novo, a tendência exclusiva das pessoas mais ricas – devido, sem dúvidas, ao crescente aprimoramento acadêmico e ao imenso abismo entre elas e a violência cruel dos mais pobres – já está levando a um fechamento, por interesse próprio, de porções significativas de terra na superfície. Em Londres, por exemplo, talvez metade dos pontos mais belos e ricos do país esteja fechada para evitar invasões. E esse mesmo abismo crescente – que se deve ao aumento e aos custos do processo educacional e ao aumento das conveniências e das facilidades geradas pelos hábitos refinados dos mais ricos – tornará a troca de classes, aquela escalada social por meio de casamentos, que hoje em dia reduz a separação de nossa espécie entre as linhas da estratificação social, cada vez menos frequente. Portanto, no fim, sobre a superfície teremos os que Têm, atrás de prazer, conforto e beleza, e sob a superfície aqueles que Não Têm, os trabalhadores que continuamente se adaptaram às condições laborais. Uma vez lá, eles sem dúvida precisariam pagar aluguel, o que não seria pouco, devido à ventilação em suas cavernas; e, se recusassem, morreriam de fome ou seriam sufocados por suas dívidas. Os mais miseráveis e rebeldes morreriam; e, por fim, o equilíbrio assim seguiria, os sobreviventes adaptando-se tão bem às condições da vida subterrânea e sendo felizes à própria maneira, do mesmo modo que as pessoas do Mundo Superior. Ao que me parecia, a beleza refinada e a palidez estiolada acompanharam naturalmente as adaptações.

"O grande triunfo da Humanidade com que sonhei tomou um rumo bem diferente em minha mente. Não fora uma conquista decorrente da educação moral e da cooperação mútua, como havia imaginado. Em vez disso, vi a verdadeira aristocracia armada com uma ciência aperfeiçoada e trabalhando para a conclusão lógica do sistema industrial dos dias de hoje. O triunfo não era um mero triunfo sobre a Natureza, mas, sim, sobre a Natureza e o próximo. Isso, devo alertá-los, era a minha teoria naquele momento. Eu não tinha um cicerone para guiar-me convenientemente nos padrões dos livros utópicos. Minha conclusão pode estar completamente equivocada. Ainda acho que é a mais plausível. Mas até mesmo nessa minha suposição a civilização que finalmente triunfou devia ter passado de seu ápice havia tempo e estava, agora, muito além da decadência. A segurança perfeita demais dos Superiores levara-os a um vagaroso movimento de degeneração, a uma redução geral do tamanho, força e inteligência. Isso eu podia claramente ver. Só não suspeitava nada ainda sobre o que havia acontecido com os Subterrâneos; mas, do que pude notar pelos 'Morlocks', que por acaso era como chamavam essas criaturas, só conseguia imaginar que as alterações na espécie humana foram ainda mais profundas do que as ocorridas com os 'Eloi', a raça bela que havia conhecido.

"E assim surgiram outras dúvidas. Por que os Morlocks haviam levado a minha Máquina do Tempo? Pois tinha certeza de que foram eles os responsáveis por levá-la. E também por que os Eloi não poderiam recuperar a máquina para mim se eles eram os seres superiores? E por que eles tinham tanto medo do escuro? Prossegui, como já lhes disse, para perguntar a Weena sobre esse Mundo Subterrâneo, mas novamente fiquei decepcionado. De início, ela não entendeu as minhas perguntas, depois ela se recusou a respondê-las. Ela sobressaltava-se como se o tópico lhe fosse insuportável. E, quando a pressionei, talvez um pouco demais, ela se debulhou em lágrimas. Foram as únicas lágrimas, além das que derramei, que vi na Era de Ouro. Quando as vi, parei imediatamente de incomodá-la sobre os Morlocks e só me preocupei em livrar Weena desses sinais da herança humana em seus olhos. E, sem tardar, ela já sorria e batia suas palmas, enquanto de forma solene eu acendia um fósforo."

CAPÍTULO 9
OS MORLOCKS

— Pode parecer estranho para vocês, mas isso foi dois dias antes de ir atrás da última pista da forma mais correta. Senti-me encolher de modo incomum ao encontrar aqueles corpos esquálidos. Eram como minhocas semidescoloridas ou como as coisas que vemos preservadas em algum museu zoológico. Além de serem detestavelmente gelados ao toque. Provavelmente, o meu estranhamento era devido à simpática influência dos Eloi, cuja aversão aos Morlocks passei a apreciar.

"Na noite seguinte, não dormi bem. Talvez a minha saúde estivesse um pouco abalada. Sentia-me sufocado pela dúvida e perplexidade. Vez ou outra, senti um temor imenso por algo que ainda não conseguia identificar. Lembro-me de ter me esgueirado silenciosamente pelo grande salão em que as pessoinhas dormiam sob o luar – naquela noite, Weena dormia entre eles – e tranquilizei-me com sua presença. Percebi então que, em alguns dias, a lua passaria por seu quarto minguante e as noites ficariam mais escuras, quando as aparições daquelas desagradáveis criaturas do subterrâneo, aqueles Lêmures esbranquiçados, aqueles parasitas que substituíram os antigos, poderiam ficar mais comuns.

E, durante essas noites, inquietei-me como alguém que foge quando se depara com um dever inevitável. Sentia-me convencido de que só seria possível recuperar a Máquina do Tempo ao invadir destemidamente aqueles mistérios subterrâneos. Embora eu ainda não conseguisse encará-los. Se ao menos tivesse uma companhia, isso tudo seria diferente. Mas eu estava terrivelmente sozinho, e descer pela escuridão do poço assombrava-me. Não sei se vocês vão entender, mas nunca me senti muito seguro.

"Era talvez essa inquietação, essa insegurança, que me levava cada vez mais longe nas minhas expedições exploratórias. Indo em direção ao sudoeste do país em ascensão, que, por ora, é chamado de Combe Wood, observei de longe, pela Banstead do século 19, uma grande estrutura verde, com o aspecto diferente de tudo que já tinha visto. Era maior do que o maior dos palácios ou ruínas que já visitara, e a fachada tinha um ar oriental: sua frente tinha um aspecto lustroso, assim como um toque verde pálido, quase um verde-azulado, que lembrava um tipo de porcelana chinesa. Essa diferença na aparência sugeria finalidades diferentes, e senti-me compelido a continuar e explorar. Mas estava ficando tarde, e avistei o local no fim de um longo e desgastante circuito; então, decidido a postergar minha aventura para o dia seguinte, regressei para a recepção e as carícias de minha pequena Weena. Mas, na manhã seguinte, notei que minha curiosidade em relação ao Palácio de Porcelana Verde era uma forma de me sabotar, para fugir, por mais um dia, da experiência que tanto temia. Decidi que não desperdiçaria mais tempo para descer e dirigi-me, no início da manhã, ao poço perto das ruínas de granito e alumínio.

"A pequena Weena correu comigo. Ela dançava ao meu redor no poço, mas, quando me viu debruçar sobre a beira e olhar para baixo, pareceu estranhamente perturbada. 'Adeus, pequena Weena', disse, beijando-a; e então, colocando-a no chão, comecei a tatear o parapeito atrás dos ganchos de escalada. De forma apressada, devo confessar, pois temia perder a coragem! A princípio, ela observou-me encantada. Depois, ela soltou o grito mais comovente e, correndo até mim, tentou puxar-me com suas mãozinhas. Acho que a objeção dela acabou encorajando-me mais a prosseguir. Afastei-a, talvez de modo bruto demais, e logo já estava no gargalo do poço. Vi seu rosto aflito olhar-me sobre o parapeito e sorri para tranquilizá-la. Então, voltei minha atenção para os ganchos instáveis que agarrava.

"Tive de descer por pelo menos uns 150 metros. A descida foi facilitada por causa das barras metálicas que se projetavam nas laterais do poço e, por elas terem sido adaptadas para criaturas menores e mais leves que eu, logo fiquei mais cansado e mais apertado pela descida. Não era apenas cansaço! Uma das barras cedeu sob meu peso e quase fui jogado para a escuridão lá embaixo. Por um momento, fiquei dependurado com uma só mão, e após essa experiência não ousei descansar de novo. Embora as dores em meus braços e costas fossem incômodas, segui descendo da forma mais rápida possível. Olhando para cima, vi a abertura, um pequeno halo azulado em que uma estrela brilhava, enquanto a pequena cabeça de Weena aparecia como uma projeção sombreada. O som estrondoso da máquina abaixo ficava mais alto e mais angustiante. Tudo ao meu redor, além do pequeno halo acima, estava profundamente escuro, e, quando olhei de novo para cima, Weena tinha sumido.

"Estava completamente desconfortável. Pensei até em subir tudo de volta e deixar o Mundo Subterrâneo para trás. Embora revirasse a ideia em minha cabeça, segui em minha descida. Por fim, com imenso alívio, vi surgir de forma indistinta, alguns metros à minha direita, uma pequena brecha na parede. Balançando-me, entrei e notei tratar-se de uma abertura de um túnel estreito e horizontal, onde poderia deitar-me e descansar. Não era cedo demais, pois meus braços doíam, minhas costas travavam e eu estremecia com o terror que sentia de uma queda. Além disso, a escuridão impenetrável provocava um efeito angustiante. O ar estava repleto das vibrações e zumbidos provocados pelo maquinário no fim do poço.

"Não sei por quanto tempo permaneci descansando. Fui despertado por uma mão macia tocando meu rosto. Sobressaltando-me na escuridão, busquei meus fósforos e cegamente acendi um; vi três criaturas em pé, como aquela que vira sobre a superfície na ruína, afastando-se da luz às pressas. Vivendo, como eles o faziam, no que parecia ser a mais completa escuridão, seus olhos eram incomumente grandes e sensíveis, assim como as pupilas dos peixes abissais, além de refletirem a luz do mesmo modo. Não tive dúvidas de que eles poderiam enxergar-me naquele breu, tampouco me pareciam temer, a não ser pela luz. Mas, assim que acendi o fósforo para enxergá-los, eles começaram a correr, desaparecendo no escuro das brechas e túneis, onde seus olhos faiscaram de modo ainda mais estranho.

"Tentei chamá-los, mas a língua que tinham parecia ser diferente da desenvolvida pelas pessoas do Mundo Superior; então fui deixado à minha própria sorte, e a ideia de fugir antes de seguir a exploração mantinha-se em minha cabeça. Mas disse para mim mesmo: 'Você está nisso agora', e, tateando e seguindo meu caminho ao longo do túnel, notei o som do maquinário ficando cada vez mais alto. No momento, as paredes se alargaram ao meu redor e cheguei a um local mais amplo; pegando outro fósforo, percebi que adentrara uma grande caverna arqueada que se estendia em uma profunda escuridão muito além do alcance de minha luz. Não era possível ver mais do que se poderia com a chama de um fósforo.

"Inevitavelmente, minha memória está agora um pouco vaga. Grandes formas como máquinas enormes surgiam na penumbra e lançavam sombras grotescas nas quais os Morlocks fantasmagóricos se protegiam da luz. O local, a propósito, era deveras abafado e sufocante, e o leve aroma de sangue recém-derramado preenchia o ar. Um pouco mais afastada do facho de minha luz, havia uma pequena mesa de metal branco com o que parecia ser uma refeição. Os Morlocks, até onde pude notar, eram carnívoros! Naquele momento, perguntava-me que tipo de animal de porte grande havia sobrevivido para fornecer as juntas rubras que via. Tudo era muito indistinto: o cheiro forte, as grandes e indefinidas formas, as figuras obscenas esgueirando-se nas sombras, aguardando a escuridão atingir-me novamente! Então o fósforo se consumiu, queimando meus dedos, e caiu, um ponto vermelho brilhante em meio à escuridão.

"Notei que estava completamente despreparado para tal experiência. Quando comecei a criar a Máquina do Tempo, tinha a absurda hipótese de que os homens no futuro estariam infinitamente à frente de nosso tempo em todos os quesitos. Eu tinha ido sem armas, sem remédios, sem nada para fumar – como eu sentia falta do tabaco às vezes! – e até mesmo sem fósforos suficientes. Se ao menos tivesse levado uma Kodak! Eu poderia ter eternizado aquele vislumbre do Mundo Subterrâneo em um segundo e analisado depois com mais tranquilidade. Mas, do jeito que era, eu estava lá apenas munido com o que a Natureza me provera: mãos, pés e dentes; isso e aqueles quatro fósforos que restaram.

"Temia seguir meu caminho em meio a todo aquele maquinário no escuro, e somente no meu último vislumbre de luz notei que meu estoque de fósforos era parco. Nunca havia pensado, até aquele momento, que haveria alguma necessidade de economizá-los e acabei gastando quase metade da caixa surpreendendo as pessoas do Mundo Superior, pois fogo ainda era uma novidade para eles. Por ora, como disse, tinha apenas quatro, e, enquanto estive no escuro, senti uma mão tocar a minha, dedos magros tatearem meu rosto, e senti um odor extremamente desagradável. Acreditei ter ouvido a respiração de uma multidão daqueles seres aterrorizantes à minha volta. Senti a caixa de fósforos em minha mão ser gentilmente retirada e outras mãos atrás de mim puxando minhas roupas. A sensação daquelas criaturas invisíveis me analisando era indescritivelmente desagradável. A súbita percepção de minha ignorância de seus modos de pensar e agir abalou-me vividamente em meio à escuridão. Gritei-lhes o mais alto que pude. Eles se afastaram e então senti que se aproximavam de novo. Seguraram-me de modo mais audacioso, murmurando sons estranhos entre si. Tremi violentamente e gritei de novo, um tanto desafinado. Dessa vez não se sentiram seriamente alarmados e fizeram um barulho como um riso ruidoso quando voltaram a se aproximar. Estava imensamente aterrorizado. Decidi acender outro fósforo e escapar sob a proteção de sua luz. Assim o fiz e, aumentando a chama com um pedaço de papel de meu bolso, retirei-me em direção ao túnel estreito. Mas, mal tinha entrado nele, minha luz se apagou, deixando-me no escuro, capaz de ouvir os Morlocks movendo-se como folhas ao vento e tamborilando como o cair da chuva ao correrem atrás de mim.

"No instante seguinte, fui agarrado por inúmeras mãos, e não havia dúvidas de que queriam arrastar-me de volta. Acendi outro fósforo e o balancei na frente de seus rostos impressionados. Vocês não poderiam imaginar o quão inumanamente repugnantes eles eram, aqueles rostos pálidos, grandes, sem queixo, olhos rosa-acinzentados sem pálpebras; enquanto encaravam sem foco e em espanto. Não fiquei para olhar, garanto-lhes: recuei novamente e, quando meu segundo fósforo se apagou, acendi o terceiro. Estava quase se apagando quando alcancei a abertura para o poço. Abaixei-me na beirada, pois o pulsar da grande máquina abaixo me deixava atordoado. Então, tateei pelos lados à procura dos ganchos sobressalentes e, enquanto fazia isso, meus pés foram agarrados por trás e fui violentamente puxado. Acendi meu último fósforo... que imediatamente se apagou. Mas tinha em minhas mãos a barra para escalar e, chutando de forma violenta, consegui soltar-me das garras dos Morlocks e prontamente comecei a subir pelo poço, enquanto eles olhavam abismados para mim: todos, menos o pequeno desgraçado que me seguiu até certo ponto, quase levando minha bota como um troféu.

"A subida parecia-me não ter fim. Nos últimos seis a dez metros, uma horrível náusea acometeu-me. Tive uma dificuldade absurda em me segurar. Os últimos metros foram uma luta angustiante contra essa vertigem. Por algumas vezes, minha cabeça girou e senti que estava caindo. Contudo, no final, consegui subir até a beirada do poço de alguma forma e tropecei, deixando as ruínas em direção à ofuscante luz do sol. Caí de cara no chão. Até mesmo a terra parecia doce e limpa. Então me lembro de Weena beijando minhas mãos e orelhas e das vozes de outros Eloi. Aí, por um bom tempo, não senti mais nada."

CAPÍTULO 10
O CAIR DA NOITE

— Agora, de fato, parecia pior do que antes. Até o momento, tirando a minha aflição noturna pela perda da Máquina do Tempo, sentia uma crescente esperança em minha fuga iminente, mas tal esperança foi esmagada à luz das últimas descobertas. Até então eu me sentia impedido pela simplicidade infantil daquelas pessoinhas e por alguma força desconhecida que precisava compreender para superar; mas havia um elemento completamente inesperado na repugnante natureza dos Morlocks, algo desumano e maligno. Eu os odiava instintivamente. Antes, eu me sentia como um homem que tinha caído em um abismo: minha preocupação era com esse abismo e como sair dele. Agora, me sentia como um animal preso em uma armadilha com o inimigo prestes a aparecer.

"O inimigo que eu temia poderia surpreender vocês. Era a escuridão da lua nova. Weena havia colocado isso na minha cabeça durante algumas das primeiras considerações sobre as Noites Sombrias. Não era muito difícil compreender o que significariam as Noites Sombrias. A lua estava minguando: cada noite apresentava um breu cada vez mais longo. E, por ora, entendi de alguma forma o motivo do terror que essas pessoinhas do Mundo Superior sentiam pelo escuro. Perguntava-me vagamente que tipo de vilania cruel os Morlocks faziam sob a lua nova. Estava praticamente seguro de que minha segunda hipótese estava completamente errada. As pessoas do Mundo Superior podem ter sido um dia a aristocracia favorecida, e os Morlocks seus serventes mecânicos: mas isso havia muito se acabara. As duas espécies resultantes da evolução do homem estavam se encaminhando a um novo tipo completamente diferente de relação, ou até já haviam chegado a tal ponto. Os Eloi, assim como os reis carolíngios, haviam decaído para uma mera beleza fútil. Ainda possuíam a terra por condescendência, já que os Morlocks, subterrâneos havia inúmeras gerações, tinham, por fim, se tornado intolerantes à luz do sol. E os Morlocks fabricavam as roupas, deduzi, e mantinham-nos em suas necessidades habituais, talvez devido a um antigo costume de subserviência. Eles faziam isso como um cavalo que escarva com as patas, ou como um homem que gosta de matar animais por esporte: porque necessidades antigas e primitivas marcaram o organismo. Mas, obviamente, a ordem antiga já se invertera havia tempos. A Nêmeses dos seres delicados estava alastrando-se de forma acelerada. Eras atrás, milhares de gerações atrás, o homem banira seu irmão homem para um mundo longe das facilidades e desprovido de luz. E agora esse irmão estava de volta, mudado! Os Eloi começaram a aprender uma velha lição. Eles estavam familiarizando-se novamente com o Medo. E de repente veio à minha cabeça aquela cena com a carne que vi no Subterrâneo. Estranho como tinha me lembrado: não fora algo que revirara durante minhas últimas ponderações, mas surgira quase como um questionamento extrínseco. Tentei lembrar o que poderia ser. Tinha uma vaga noção de que me era familiar, mas não consegui identificar naquele momento.

"Ainda assim, por mais indefesas que essas pessoinhas se sentissem perante esse Medo misterioso, eu, por outro lado, era constituído de outra forma. Eu saí de nossa era, no primor do amadurecimento da raça humana, quando o Medo não nos paralisa e os mistérios já não aterrorizam. Eu conseguia ao menos me defender. Sem mais delongas, decidi armar-me e fortalecer-me em algum lugar onde dormiria. Com tal refúgio como base, poderia encarar esse mundo estranho com o pouco de confiança que tinha perdido ao perceber a que criaturas eu me expunha noite após noite. Senti que nunca mais conseguiria dormir até que minha cama estivesse segura delas. Estremeci-me com o horror ao pensar como elas haviam me analisado.

"Durante a tarde, perambulei pelo vale do Tâmisa, mas não encontrei nada que pudesse ser impenetrável. Todas as construções e árvores pareciam facilmente acessíveis para exímios escaladores como os Morlocks, o que, a julgar pelos seus poços, com certeza eram. Então, lembrei-me das torres altas do Palácio de Porcelana Verde e o brilho lustroso de suas paredes; e, de noite, levando Weena como uma criança em minhas costas, subi as colinas em direção ao sudoeste. A distância, pelo que me lembrava, era de uns doze a treze quilômetros dali, mas deveria ser quase uns trinta. A primeira vez que vi o local fora durante uma tarde úmida, quando as longas distâncias parecem imperceptíveis. Ademais, o salto de um dos meus sapatos estava soltando e o prego perfurava a minha sola – eram velhos sapatos confortáveis que eu usava dentro de casa –, então comecei a mancar. Já passara e muito do entardecer quando finalmente avistei o palácio com sua silhueta escura contra o amarelo pálido do céu.

"Weena estava imensamente animada quando comecei a carregá-la, mas depois de um tempo ela desejou que eu a colocasse no chão e assim correu ao meu lado, vez ou outra indo em disparada para colher algumas flores para pôr em meus bolsos. Os meus bolsos sempre intrigaram Weena, até, por fim, ela concluir que seriam um tipo excêntrico de vasos para carregar flores. Ao menos, ela usava-os para isso. E isso me faz lembrar! Ao tirar meu casaco, encontrei..."

O Viajante do Tempo parou, colocou a mão em seu bolso e, silenciosamente, dispôs duas flores murchas sobre a mesa, não muito diferentes das malvas brancas. Então, retomou sua narrativa.

– Conforme o silêncio da noite se aproximava e prosseguíamos pelo cume da colina em direção a Wimbledon, Weena cansou-se e quis voltar para a residência de pedra acinzentada. Mas lhe apontei as torres despontando do Palácio de Porcelana Verde e consegui fazê-la entender que estávamos buscando abrigo lá, para nos protegermos de seu Medo. Vocês sabem aquela grande calmaria antes do cair da noite? Quando até a brisa para de soprar? Para mim, sempre gerava uma expectativa sobre a quietude que a noite traz. O céu estava limpo, distante e claro, salvo por alguns feixes provocados pelo sol poente. Bom, naquela noite a expectativa tomara os aspectos de meus medos. Naquela calma sombria, meus sentidos pareciam sobrenaturalmente mais aguçados. Imaginei que até conseguia sentir as cavidades sob o chão embaixo de meus pés: poderia até mesmo ver os Morlocks em seus túneis indo de um lado para o outro e aguardando o anoitecer. Em minha inquietação, senti que eles teriam reconhecido a minha breve invasão a suas tocas como uma declaração de guerra. E por que eles tinham levado a minha Máquina do Tempo?

"Assim, seguimos em silêncio com o crepúsculo transformando-se em noite. O azul-claro a distância se esvanecia, e uma estrela atrás de outra surgia. O chão escureceu e as árvores enegreceram. Os medos de Weena e seu cansaço consumiam-na. Peguei-a em meus braços, e acalmei-a, e acariciei-a. Então, conforme a escuridão se intensificava, ela pôs seus braços ao redor de meu pescoço e, fechando os olhos, gentilmente pressionou seu rosto contra meu ombro. Assim descemos a longa encosta em direção ao vale, e, na penumbra, quase fui de encontro a um rio. Consegui atravessá-lo e subir o lado oposto do vale, passando por inúmeras casas e por uma estátua – um fauno, ou algo do tipo, sem a cabeça. Ali também havia acácias. Até então, não vi sinais dos Morlocks, mas ainda era o início da noite, e as horas mais sombrias antes da velha lua surgir ainda estavam por vir.

"Do cume da próxima colina avistei uma floresta densa se avultando ampla e sombria à minha frente. Hesitei. Não conseguia ver o final dela, nem para a direita nem para a esquerda. Sentindo-me cansado, com meus pés particularmente bem doloridos, baixei Weena, com cuidado, de meu ombro, quando parei e me sentei sobre a relva. Não conseguia mais ver o Palácio de Porcelana Verde e já duvidava do caminho que havia tomado. Olhei para a densidão da floresta e pensei no que ela poderia esconder. Por sob aquela vastidão de emaranhados de galhos, alguém poderia estar fora de vista. Mesmo se lá não houvesse nenhum tipo de perigo, ou o perigo que eu temia até imaginar, ainda haveria todas aquelas raízes e troncos em que eu poderia tropeçar e me chocar. Também estava muito cansado depois de todos os acontecimentos do dia; então decidi não encarar a floresta e passar a noite na colina a céu aberto.

"Fiquei feliz ao ver que Weena dormia profundamente. Com cuidado, envolvi-a em meu casaco e sentei-me ao seu lado para aguardar a lua aparecer. As colinas estavam silenciosas e desertas, mas da escuridão da floresta, vez ou outra, vinha uma agitação de seres vivos. Acima de mim, as estrelas brilhavam, pois o céu noturno estava bem limpo. Senti um certo conforto complacente com o cintilar delas. No entanto, todas as constelações de outrora não existiam mais naquele céu: o vagaroso movimento, imperceptível por milhares de anos, havia reorganizado as estrelas em novos e desconhecidos agrupamentos. Mas a Via Láctea, ao que me parecia, ainda era a mesma faixa esfarrapada de poeira estelar de antes. Ao sul (ao menos eu achava que era), havia uma estrela vermelha muito brilhante que para mim era novidade; era mais esplêndida do que a nossa Sirius e seu brilho esverdeado. E, dentre todos esses pontos cintilantes de luz, um planeta brilhou cálido e constante como se revisitando um velho amigo.

"Olhar para todas aquelas estrelas de repente minimizou todos os meus próprios problemas e as gravidades da vida terrestre. Pensei na distância inimaginável entre elas e na deriva lenta e inevitável de seus movimentos, do passado desconhecido rumo a um futuro também desconhecido. Lembrei-me do grande ciclo de precessão descrito pelos polos da Terra. Apenas quarenta vezes aquela revolução silenciosa ocorrera durante os anos que eu tinha atravessado. E, no decorrer dessas poucas revoluções, todas as atividades, tradições, organizações complexas, nações, idiomas, literaturas, aspirações, até mesmo a memória do homem como o conhecemos haviam sido varridas da existência. Em vez disso, tínhamos essas frágeis criaturas, que haviam esquecido sua ancestralidade nobre, e as Coisas brancas, que me aterrorizavam. Então me lembrei do Grande Medo que havia entre as duas espécies e, pela primeira vez, com um súbito tremor, ficou claro qual era o tipo de carne que eu tinha visto. Ainda assim, era horrível demais! Olhei para a pequena Weena dormindo ao meu lado, seu rosto alvo e reluzente sob as estrelas, e imediatamente descartei aquele pensamento.

"Por todo o decorrer daquela longa noite, mantive o máximo possível os Morlocks afastados de meus pensamentos e passei o tempo tentando encontrar vestígios das antigas constelações em meio àquela nova confusão. O céu manteve-se limpo, com exceção de poucas nuvens cerradas. Sem dúvidas, cochilei algumas vezes. Então, à medida que prosseguia com minha vigília, uma luz tímida surgia a leste no céu, como o reflexo de algum fogo diáfano, e a velha lua levantava-se, fina, afunilada e branca. E logo depois, seguindo e sobrepondo-se, veio a manhã, pálida a princípio e então resultando num fulgor rosa e quente. Nenhum Morlock aproximara-se. Na verdade, não vi nenhum naquela colina a noite toda. E, com a confiança renovada à luz do novo dia, parecia até que todo o meu medo tinha sido irracional.

Levantei-me e notei meu pé, aquele com o salto quebrado, com o tornozelo inchado e com o calcanhar dolorido; então me sentei de novo, tirei meus sapatos e joguei-os fora.

"Acordei Weena e adentramos a floresta, agora verde e agradável, em vez de negra e ameaçadora. Lá encontramos algumas frutas que usamos para nosso desjejum. Não demorou muito para nos depararmos com outras pessoinhas delicadas, rindo, dançando sob a luz do sol como se as noites nem mesmo existissem na natureza. E então me lembrei mais uma vez da carne que tinha visto. Eu tinha certeza agora do que era e, de todo o meu coração, senti o pesar por esse último resquício debilitante da humanidade. Claramente, em algum ponto Há-Muito na decadência humana, houve uma escassez nos alimentos dos Morlocks. Talvez tenham sobrevivido alimentando-se de ratos e outros parasitas. Mesmo ali, o homem era ainda menos seletivo e restrito em relação à sua alimentação do que fora, até menos do que um primata qualquer. Sua ojeriza à carne humana não era um instinto tão intrínseco assim. E aqueles filhos desumanos dos homens...! Tentei analisar a situação com um olhar científico. Afinal, eles eram menos humanos e mais longínquos do que nossos ancestrais canibais de três a quatro mil anos atrás. E a razão que os atormentaria por tais coisas havia muito se fora. Por que eu deveria incomodar-me? Os Eloi eram apenas um rebanho sendo engordado, o qual os Morlocks cavernosos pastoreavam e caçavam – talvez até cuidassem de sua reprodução. E lá estava Weena dançando ao meu lado!

"Então, tentei proteger-me do horror que me afligia, ao considerar aquilo como uma punição rigorosa por todo o egoísmo humano. O homem podia ter se contentado em viver tranquilo e alegremente, graças aos esforços laborais de seus demais companheiros humanos, usando a Necessidade como palavra de ordem e desculpa, e, no final das contas, a Necessidade de fato surgira. Até tentei desprezar a situação dessa decadente e esfarrapada aristocracia como Carlyle. Mas era impossível pensar assim. Apesar da grande degradação intelectual, os Eloi ainda mantinham muitos aspectos humanos que me faziam simpatizar com eles e até compartilhar com eles sua degradação e seu Medo.

"Naquele momento, tinha poucas ideias sobre quais caminhos poderia tomar. A primeira era encontrar algum lugar seguro para me refugiar e enfim me armar com o que conseguisse produzir de metais ou pedras. Minha necessidade era imediata. Em seguida, esperava encontrar algo com que pudesse fazer fogo, para ter à mão uma tocha, pois nada, eu sabia, seria mais eficiente contra os Morlocks. E então eu precisava de algum tipo de aparato para poder arrombar as portas de bronze sob aquela Esfinge Branca. Pensei em algo como um aríete. Estava convencido de que, se eu conseguisse entrar por aquelas portas carregando algum facho de luz comigo, poderia encontrar a Máquina do Tempo e escapar. Não conseguia imaginar que os Morlocks fossem fortes o bastante para movê-la para mais longe. Decidi levar Weena comigo para nosso próprio tempo. E, criando tais planos na minha cabeça, segui o caminho em direção à construção que escolhi como nossa morada."

CAPÍTULO 11
O PALÁCIO DE PORCELANA VERDE

— Encontrei o Palácio de Porcelana Verde, quando nos aproximávamos dele por volta do meio-dia, vazio e caindo em ruínas. Apenas vestígios de vidro quebrados permaneciam nas janelas, e grandes partes de sua fachada verde haviam caído de sua estrutura metálica enferrujada. Ele se elevava sobre uma relva e, ao olhar para o nordeste, antes de entrar, fiquei surpreso ao ver um grande estuário, ou até mesmo uma enseada, onde supunha uma vez ter sido Wandsworth e Battersea. Ponderei, então – embora não tenha prosseguido com o pensamento –, o que é que poderia ter acontecido ou estava acontecendo com os seres que viviam no mar.

"O material usado no Palácio, após uma observação mais cuidadosa, provou-se ser mesmo porcelana, e em sua frente vi uma inscrição em um caractere desconhecido. Presumi, tolamente, que Weena poderia ajudar-me a entender, mas só compreendi que a mera ideia de uma escrita jamais entrara na cabeça dela. Ela sempre me parecia, creio eu, ser mais humana do que realmente era, talvez por seu carinho ser tão humano.

"Adentrando as grandes portas, que estavam abertas e quebradas, encontramos, em vez do habitual salão, uma longa galeria iluminada por várias janelas laterais. À primeira vista, fez-me lembrar de um museu. O piso ladrilhado estava coberto de pó e era perceptível uma fileira de objetos variados, cobertos com a mesma camada cinza. Notei então, exposto de forma estranha e sombria no centro do saguão, algo que era claramente a parte de baixo de um enorme esqueleto. Reconheci pelo formato oblíquo do pé que se tratava de uma criatura extinta, parecida ou da mesma época do megatério. O crânio e os ossos superiores jaziam ao lado na grossa camada de poeira, e em um ponto havia deterioração, por onde a água da chuva penetrara por conta de um vazamento do telhado. Mais adiante na galeria, encontrei um enorme tronco do esqueleto de um brontossauro, confirmando minha teoria de se tratar de um museu. Indo para o lado, deparei-me com o que pareciam prateleiras inclinadas e, limpando um pouco da poeira entranhada, encontrei aqueles mostruários de vidro tão comuns de nosso tempo. Mas, a julgar pela visível preservação de seus conteúdos, eles deviam estar hermeticamente fechados.

"Claramente, estávamos sobre as ruínas do que fora uma South Kensington dos últimos tempos! Ali, aparentemente, estava a Seção Paleontológica, e devia ter havido um esplêndido conjunto de fósseis, embora o inevitável processo de decomposição, que foi adiado por um tempo e, por meio da extinção de bactérias e fungos, perdeu 99% de sua força, estava, no entanto, com extrema infalibilidade, embora com extrema lentidão, trabalhando novamente em todos os seus tesouros. Aqui e acolá, encontrei traços das pessoinhas no formato de alguns fósseis raros quebrados, partidos ou ligados por fios e pendurados sobre juncos. E algumas mostras da exibição foram fisicamente removidas, presumi que pelos Morlocks. O lugar era bem silencioso. A grossa camada de poeira amortecia nossos passos. Weena, que estava rolando um ouriço do mar pelo vidro inclinado de um mostruário, veio ao meu encontro, lentamente pegou a minha mão e ficou ao meu lado enquanto eu absorvia aquilo tudo.

"A princípio, fiquei tão surpreso ao encontrar esse monumento antigo de uma era intelectual que nem consegui considerar quaisquer possibilidades que isso representava. Até a minha preocupação com a Máquina do Tempo havia saído um pouco da minha cabeça.

"A julgar pelo tamanho daquele lugar, o Palácio de Porcelana Verde era bem mais do que só uma Galeria de Paleontologia; talvez tivesse galerias históricas; até mesmo uma biblioteca! Para mim, ao menos nas circunstâncias daquele momento, aquilo seria imensamente mais interessante do que o espetáculo decadente de uma velha geologia. Explorando mais, encontrei uma galeria menor, transversal à primeira. Essa parecia ter sido dedicada aos minerais, e ver um bloco de enxofre fez-me lembrar da pólvora. Mas não consegui encontrar salitre; na verdade, nenhum tipo de nitrato. Sem dúvidas, já tinham se liquefeito havia tempos. Ainda assim, o enxofre ficou em minha cabeça e deu início a uma série de ideias. Quanto ao restante da galeria, embora no geral estivesse tudo bem preservado, eu tinha pouco interesse. Não sou um especialista em mineralogia e segui por um corredor em ruínas paralelo ao saguão por onde entrei. Aparentemente, essa seção era dedicada à história natural, mas tudo já havia se deteriorado a ponto de não saber identificar coisa alguma. Uns poucos enrugados e escuros indícios do que seriam animais empalhados, múmias dissecadas em jarros que um dia continham éter, uma poeira amarronzada de plantas mortas: isso era tudo! Lamentei, pois teria ficado feliz em conseguir descrever os reajustes obstinados pelos quais conseguiram domar a enérgica natureza. Então, entramos em uma galeria de proporções simplesmente colossais, mas particularmente mal iluminada, com o chão inclinado em uma descida com uma leve curva ao final, por onde entrei. Entre alguns espaços no teto, pendiam globos brancos, muitos deles rachados e estilhaçados, o que indicava que o local fora iluminado de forma artificial. Ali me senti mais à vontade, pois por ambos os lados surgiram grandes e enormes máquinas, todas muito enferrujadas e outras quebradas, mas algumas pareciam até intactas. Vocês sabem que os mecanismos são o meu fraco, e estava disposto a me demorar entre eles; quanto mais eu me interessava por eles, mais me interessava por seus mistérios, e só conseguia adivinhar de modo bem vago para o que cada um servia. Imaginei que, se pudesse desvendar tais mistérios, teria em minhas mãos algo para usar contra os Morlocks.

"De repente, Weena encostou-se ainda mais ao meu lado. Foi tão subitamente que me sobressaltou. Se não fosse por ela, não acredito que teria notado que o chão da galeria me faltava*. O fim com o qual me deparei era um pouco acima do chão e estava iluminado por poucas e estreitas janelas. À medida que se seguia o comprimento, o chão se encontrava com essas janelas até, por fim, se abrir em um abismo do "tamanho" de uma casa londrina perante cada uma e um leve filete de luz os iluminando. Eu andava devagar, tentando desvendar os enigmas daquelas máquinas, e estava muito compenetrado para não notar o ambiente que gradualmente escurecia, até a preocupação crescente de Weena chamar a minha atenção. Então, vi que o final da galeria ia até a mais profunda escuridão. Hesitei e, ao olhar à minha volta, percebi que a camada de poeira ali era menos abundante e menos uniforme. Mais à frente, em direção às sombras, a camada parecia denunciar um número de pegadas pequenas e alongadas. Logo fiquei alerta para a presença iminente dos Morlocks. Senti que estava desperdiçando meu tempo inspecionando academicamente os maquinários. Lembrei-me de que já estávamos no fim da tarde e eu ainda não tinha uma arma, nem refúgio, tampouco um meio de fazer fogo. E da escuridão da galeria ouvi um tamborilar peculiar, além dos mesmos sons estranhos que escutara quando estive no poço.

"Peguei a mão de Weena. Então, aturdido com uma ideia súbita, deixei-a e fui até uma máquina que possuía uma alavanca não muito diferente daquelas chaves de desvio ferroviário. Subindo no suporte e agarrando a alavanca com as mãos, pus meu peso nela, forçando para os lados.

---

* Pode ser, é claro, que o chão não estivesse faltando, mas que o museu tivesse sido construído sobre uma encosta. (Nota da edição original.)

De repente, Weena, sozinha no meio do corredor, começou a choramingar. Julguei bem a força da alavanca, pois ela cedeu após um minuto de pressão, e reuni-me a Weena com a barra em minhas mãos, o que achava ser mais que suficiente para qualquer crânio de Morlock que aparecesse em nosso caminho. E como eu queria matar um Morlock ou mais. Vocês podem achar meio desumano alguém querer matar seus próprios descendentes! Mas era impossível, de alguma forma, sentir qualquer traço de humanidade naquelas coisas. Somente a minha falta de vontade de deixar Weena sozinha e a minha crença de que, se começasse a saciar minha sede de vingança, a minha Máquina do Tempo sofreria impediam-me de descer galeria abaixo e matar os brutos que ouvia de lá.

"Bom, a barra em uma mão e Weena na outra, saí daquela galeria para outra ainda maior, que a princípio me fazia lembrar de uma capela militar com suas bandeiras esfarrapadas penduradas. Logo reconheci as sobras chamuscadas e amarronzadas caídas nas laterais da galeria como indícios de deterioração de livros. Havia muito eles caíram e desintegraram, e qualquer vestígio de escrita sumira. Mas aqui e acolá havia capas empenadas e fechos metálicos quebrados que contavam o ocorrido. Se eu mesmo fosse um homem literato, talvez tivesse filosofado sobre a frivolidade de toda aquela ambição. Mas, do modo como as coisas eram, o que realmente me afligiu foi o enorme desperdício de energia laboral comprovado por aquela infinidade sombria de papel apodrecido. No momento, confesso que só conseguia pensar na revista *Philosophical Transactions* e nos meus dezessete artigos sobre física óptica.

"Então, subindo por uma grande escada, chegamos ao que um dia teria sido uma galeria dedicada à química. E ali a esperança de encontrar algo útil não era pouca. Com exceção de uma extremidade por onde o telhado havia caído, a galeria estava bem preservada. Procurei avidamente em cada mostruário quebrado. E, por fim, em um dos mostruários hermeticamente fechados, encontrei uma caixa de fósforos. Ávido, logo os testei. Estavam em ótimo estado. Não estavam nem um pouco úmidos. Virei-me para Weena. Disse-lhe em sua própria língua: 'Dance'. Pois agora eu tinha uma arma de verdade contra as criaturas detestáveis que temíamos. E assim, naquele museu abandonado, sobre o carpete espesso e macio de poeira, para a grande alegria de Weena, dancei de forma pomposa enquanto assoviava 'A Terra dos Justos'* do modo mais animado que consegui. A dança era uma mistura singela de cancã, um jogo de pernas, uma jogada de saia (o máximo que meu casaco permitia) e alguns passos originais. Pois, como sabem, sou naturalmente criativo.

"Agora, ainda acho que aquela caixa de fósforos ter escapado do desgaste do tempo por incontáveis anos foi a coisa mais estranha e mais miraculosa a me acontecer. No entanto, por mais incrível que pareça, encontrei uma substância ainda mais improvável, e era cânfora. Achei em um jarro selado que, por acaso, como supus, devia ter sido hermeticamente vedado. Imaginei a princípio que se tratava de parafina e, portanto, quebrei o vidro. Mas o odor de cânfora era

---

* *Land of the Leal* ("A Terra dos Justos", em tradução livre) é uma cantiga (poema cantado) escocesa. (N.T.)

inconfundível. Na ordem de deterioração universal das coisas, essa substância volátil sobrevivera, talvez por alguns milhares de séculos. Isso me fez lembrar de uma pintura em sépia feita com a tinta de um fóssil de belemnite* que havia perecido e se fossilizado milhões de anos atrás. Estava prestes a jogar aquilo fora, mas lembrei que era inflamável e, ao ser queimada, gerava uma chama bem brilhante, além do fato de ser uma ótima vela; assim a pus em meu bolso. Infelizmente, não encontrei nenhum explosivo, tampouco algo que ajudasse a arrombar as portas de bronze. Até o momento, aquela alavanca de ferro era a coisa mais útil com que me havia deparado. De qualquer modo, deixei a galeria extremamente satisfeito.

"Não lhes consigo contar tudo que se sucedeu naquela longa tarde. Isso exigiria um grande esforço em minhas memórias para me lembrar de minhas explorações na ordem mais apropriada. Recordo-me de uma grande galeria expondo uma disposição enferrujada de armas e como hesitei entre a minha alavanca e uma machadinha ou espada. Contudo, não era possível carregar ambos, e minha barra de ferro seria mais eficaz contra os portões de bronze. Havia inúmeros revólveres, pistolas e rifles. A maioria não passava de uma massa enferrujada, mas outras tantas apresentavam o metal novo e ainda visivelmente intacto. Mas quaisquer cartuchos ou pólvora havia muito teriam apodrecido e virado pó. Um canto que vi estava chamuscado e estilhaçado, talvez devido à explosão de algum item

---

* Belemnites eram animais carnívoros que habitavam os oceanos do período Jurássico. Eram seres parecidos com as lulas atuais. (N.T.)

exibido. Em outro local, havia uma vasta disposição de ídolos: polinésios, mexicanos, gregos, fenícios, de todos os cantos do mundo, creio eu. E ali, cedendo a uma ânsia irresistível, inscrevi meu nome sobre o nariz de uma estátua monstruosa de pedra-sabão da América do Sul que foi do meu agrado.

"Conforme a noite se aproximava, o meu interesse diminuía. Fui de galeria em galeria; eram poeirentas, silenciosas, algumas arruinadas, as exibições por vezes apenas montes de ferrugem e linhito, alguns até recentes. Em uma delas, deparei-me de repente com um modelo de mina de estanho e, então, de forma acidental, descobri um mostruário hermeticamente fechado com duas bananas de dinamite! Gritei 'Eureca!' e quebrei o vidro com prazer. Então surgiu uma dúvida. Hesitei. Depois, dirigindo-me para uma galeria ao lado, resolvi testar minha hipótese. Nunca senti tanta frustração quanto naquela espera de cinco, dez, quinze minutos para uma explosão que nunca aconteceu. É claro que os objetos eram réplicas, como eu deveria ter adivinhado ao vê-los. No fundo, eu não acreditava que eram reais, pois, se assim fosse, eu teria corrido imediatamente para explodir a Esfinge, as portas de bronze e (como depois se revelou) todas as minhas chances de encontrar a minha Máquina do Tempo.

"Foi depois disso, creio, que chegamos a um pequeno pátio dentro do palácio. Era gramado e tinha umas três árvores frutíferas. Então descansamos e nos revigoramos. Ao fim da tarde, comecei a considerar a nossa situação. A noite se aproximava e ainda precisávamos encontrar um esconderijo inacessível. Mas isso me preocupava menos no momento. Eu tinha em mãos algo que era, na melhor das hipóteses, a melhor defesa que poderia ter contra os Morlocks: eu tinha fósforos! Tinha também a cânfora em meu bolso, caso precisasse de uma labareda. Para mim, o melhor que podíamos fazer era passar a noite a céu aberto, protegidos por uma fogueira. Pela manhã, iríamos atrás da Máquina do Tempo. Para isso, no entanto, só tinha a minha alavanca de ferro. Mas, por ora, com meu crescente conhecimento, já me sentia bem diferente em relação àquelas portas de bronze. Até então, eu tinha evitado forçá-las, principalmente devido ao mistério do que poderia encontrar do outro lado. Elas não me pareciam muito resistentes, e eu esperava que minha barra de ferro não fosse completamente inadequada para o trabalho."

CAPÍTULO 12
EM MEIO À ESCURIDÃO

— Deixamos o palácio quando o sol ainda despontava no horizonte. Estava decidido a chegar à Esfinge Branca no início da manhã e pretendia atravessar a floresta que me impedira a jornada anterior durante o anoitecer. O meu plano era ir o mais longe possível naquela noite e, então, acender uma fogueira e dormir sob a proteção de seu fulgor. Desse modo, conforme andávamos, fui recolhendo quaisquer galhos ou tufos secos de grama que podia encontrar, e logo meus braços estavam cheios de tantos detritos. Com nossa carga, nosso progresso acabou sendo mais lento do que o esperado, sem contar que Weena já estava cansada. Eu também comecei a me sentir um pouco sonolento; já era noite quando chegamos à floresta. Weena teria parado ao se deparar com a colina revestida de arbustos, temendo o medo da escuridão à nossa frente; mas um sentido de calamidade iminente, que, na verdade, eu deveria ter tomado como alerta, me impeliu ainda mais. Já estava sem dormir havia uma noite e dois dias, e estava irritadiço e impaciente. Sentia o sono à minha espreita, assim como os Morlocks.

"Enquanto hesitávamos, entre os arbustos escuros atrás de nós, vi três figuras agachadas, um pouco indistintas em contraste com o breu. Havia moitas e grama alta ao nosso redor, e não me sentia nem um pouco seguro com a aproximação pérfida delas. Segundo meus cálculos, havia pouco menos de um quilômetro de floresta para se atravessar. Se conseguíssemos cruzá-la até o lado estéril da colina, lá, pelo que me parecia, poderia ser um local mais seguro para descansarmos; pensei que com os fósforos e a cânfora eu seria capaz de manter meu caminho iluminado pela floresta. Mas era óbvio que, para utilizar os fósforos, seria necessário abandonar a madeira que juntara para o fogo; então, ainda relutante, coloquei-a no chão. Aí, tive a ideia de surpreender nossos amigos acendendo aquela madeira. Eu ainda descobriria a loucura atroz desse ato, mas era uma ideia para salvaguardar a nossa fuga.

"Não sei se vocês já imaginaram, alguma vez, o quão rara e extraordinária uma chama pode ser na ausência do homem e em um clima temperado. O calor do sol raramente é forte o suficiente para queimar, até para evaporar gotas de orvalho, como às vezes acontece em locais mais tropicais. Os raios podem explodir e enegrecer, mas raramente geram um incêndio de grandes proporções. A vegetação, ao apodrecer, pode ressecar-se com o calor de sua própria fermentação, mas raramente gera uma chama. Nessa decadência, a arte de atear fogo fora também esquecida. As línguas vermelhas que subiam lambendo as madeiras que juntei eram algo completamente novo e estranho para Weena.

"Ela queria correr e brincar com aquilo. Se eu não a tivesse segurado, acredito que teria se atirado ao fogo. Mas peguei-a e, apesar de suas objeções, adentrei destemidamente a floresta. Parte do caminho iluminou-se com o brilho do meu fogo. Olhando para trás, pude ver através da profusão de árvores que o fogo do meu montante de varetas havia se alastrado para alguns arbustos adjacentes, e uma linha fina da labareda aproximava-se da grama ao pé da colina. Eu ri daquilo e virei-me novamente para as árvores escuras adiante. Estava muito escuro e Weena agarrava-se a mim um pouco perturbada, mas ainda havia luz suficiente para ao menos evitar os troncos, enquanto meus olhos se acostumavam com a penumbra. Por sobre nossas cabeças reinava a mais completa escuridão, exceto quando um pedaço azul de céu brilhava sobre nós aqui ou acolá. Não acendi nenhum dos meus fósforos, pois não tinha nenhuma mão livre. Por sobre meu braço esquerdo, eu levava a minha pequena; em minha mão direita, a barra de ferro.

"Por um tempo, não ouvi nada além do estalar dos gravetos sob meus pés, o leve farfalhar da brisa, minha própria respiração e o pulsar de meus vasos sanguíneos em meus ouvidos. Então, reconheci um ruído como de passos atrás de mim. Apressei-me um pouco mais. O ruído tornou-se mais nítido, e então identifiquei os mesmos sons e vozes estranhos que tinha ouvido no Submundo. Havia vários Morlocks, e eles estavam me cercando. Na verdade, um minuto depois, senti um puxão em meu casaco, então algo em meu braço. Weena contorceu-se violentamente e ficou completamente paralisada.

"Era hora de um fósforo. Mas, para pegar um, precisava colocá-la no chão. Assim o fiz e, enquanto vasculhava meu bolso, um embate surgiu na escuridão aos meus pés; ela completamente quieta e aqueles arrulhos característicos dos Morlocks. Mãozinhas macias também percorreram por sobre meu casaco e minhas costas, tocando inclusive meu pescoço. Então risquei o fósforo. Levantei sua chama e vi as costas alvas dos Morlocks fugindo entre as árvores. Às pressas, tirei um pedaço de cânfora do bolso para acender assim que o fósforo apagasse. Olhei então para Weena. Ela estava deitada, segurando meus pés e completamente imóvel, com o rosto virado para o chão. Tomado por um medo repentino, inclinei-me sobre ela. Ela parecia ter dificuldade em respirar. Acendi o bloco de cânfora e joguei-o ao chão, e, quando ele se partiu, o brilho forçou os Morlocks a voltarem às sombras; ajoelhei-me e levantei Weena. A floresta ao nosso redor parecia agitada com tanto alvoroço e burburinho, como o de uma grande companhia!

"Aparentemente, ela tinha desmaiado. Coloquei-a carinhosamente sobre meu ombro e levantei-me para prosseguirmos, no entanto me deparei com uma horrível situação. Ao manusear os fósforos e Weena, virei-me algumas vezes e, agora, não tinha mais ideia de para onde estava indo. Por tudo que me era mais sagrado, eu poderia muito bem estar me dirigindo de volta ao Palácio de Porcelana Verde. Comecei a suar frio. Eu tinha de decidir logo o que faria. Decidi fazer uma fogueira e acampar lá mesmo onde estávamos. Coloquei Weena ainda inconsciente em um tronco coberto por grama e, apressadamente, conforme o primeiro pedaço de cânfora se extinguia, comecei a recolher gravetos e folhas. E, por todo canto em meio àquele breu, os olhos dos Morlocks brilhavam como granadas.

"A cânfora cintilou e apagou. Acendi outro fósforo e, enquanto o fazia, duas figuras brancas que se aproximavam de Weena rapidamente fugiram. Um ficou tão vidrado pela luz que veio em minha direção, e, ao socá-lo, senti seus ossos rangerem sob meu golpe. Ele soltou um grito de espanto, cambaleou um pouco e desmaiou. Acendi outro pedaço de cânfora e segui em minha coleta para produzir uma fogueira. Naquele momento, percebi o quão seca estava a folhagem nas árvores acima de mim, pois, desde a minha chegada com a Máquina do Tempo, em uma semana, nenhuma chuva caíra. Então, em vez de procurar entre as árvores por ramos caídos, comecei a pular e puxar os galhos. Não tardou para atear um fogo sufocante na madeira verde e nos galhos secos, economizando, assim, minha cânfora. Virei-me então para Weena, deitada ao lado da barra de ferro. Tentei ao máximo revivê-la, mas estava inerte como se sem vida. Não consegui nem mesmo me contentar ao conferir se ela respirava ou não.

"Naquele momento, a fumaça atingiu-me e fez-me sentir subitamente um pouco mais pesado. Ainda por cima, o vapor da cânfora pairava pelo ar. Meu fogo não necessitaria ser alimentado por mais ou menos uma hora. Sentindo-me desgastado depois de todo aquele esforço, sentei-me. A madeira também ajudou com seus murmúrios soporíferos que não compreendia. Devo ter cochilado brevemente e, então, abri meus olhos. Mas tudo estava escuro, e os Morlocks tinham suas mãos em mim. Fugindo de seus dedos pegajosos, procurei às pressas a caixa de fósforos em meu bolso e... sumira! Eles agarraram-me e cercaram-me novamente. Logo entendi o que tinha acontecido. Eu havia dormido e minha fogueira tinha se apagado, e a amargura da morte apossou-se de minha alma. A floresta parecia preenchida com o cheiro de madeira queimada. Fui pego pelo pescoço, pelos cabelos, pelos braços e puxado para baixo. Era uma sensação horrível estar em meio à escuridão com aquelas criaturas macias amontoadas sobre mim. Senti-me como se estivesse preso em uma monstruosa teia. Fui subjugado e caí. Senti pequenos dentes mordiscando meu pescoço. Eu rolei e, assim, consegui alcançar a alavanca de ferro com minha mão. Isso me deu forças. Lutei afastando aqueles ratos humanos de mim e, segurando a barra, comecei a lançá-la onde achava que seus rostos estavam. Consegui sentir a carne espessa e os ossos cedendo sob meus golpes e, em seguida, já estava livre.

"Aquele estranho júbilo que às vezes ocorre quando lutamos muito me atingiu. Sabia que Weena e eu estávamos perdidos, mas estava determinado a fazer os Morlocks pagarem. Fiquei de costas para uma árvore, balançando a barra de ferro à minha frente. A floresta toda estava agitada com os gritos e alvoroço deles. Um minuto se passou. Suas vozes pareciam ficar mais altas com a euforia, e seus movimentos ficaram mais rápidos. No entanto, nenhum deles veio ao meu alcance. Fiquei encarando a escuridão. Então, de pronto, senti uma esperança. E se os Morlocks estivessem com medo? E logo depois disso aconteceu algo estranho. A escuridão parecia ficar cada vez mais iluminada. Aos poucos, comecei a distinguir os Morlocks ao meu redor, três caídos aos meus pés, e aí reconheci com imensa surpresa que os outros estavam correndo em um fluxo incessante, pelo que me parecia, de trás de mim e indo em direção à floresta adiante. E suas costas não estavam mais brancas, mas avermelhadas. Enquanto eu olhava incrédulo, vi uma faísca vermelha flutuar através da brecha por entre os galhos acima e desaparecer. Com isso, enfim compreendi o cheiro de madeira queimada, o crepitar soporífero que se tornara um bramido tempestuoso, o brilho vermelho e a fuga dos Morlocks.

"Saindo de trás da árvore e olhando para trás, vi, entre os pilares escuros das árvores ao redor, o fogo de uma floresta em chamas. Era a minha primeira fogueira vindo ao meu encontro. Com isso, olhei para Weena, mas ela tinha sumido. O sibilar e crepitar atrás de mim, o estrondo explosivo quando cada árvore viçosa era pega pelas chamas, deixaram pouco tempo para ponderação. Com a barra de ferro ainda em mãos, segui os Morlocks. A perseguição foi breve. Como as labaredas avançaram tão rapidamente à minha direita enquanto corria, fui flanqueado e precisei atacar pela esquerda. Mas, assim que cheguei a um pequeno espaço aberto, um Morlock veio precipitadamente em minha direção, contudo, passou por mim e foi direto para o fogo!

"E ali eu estava prestes a assistir à coisa mais estranha e terrível, creio, de tudo que já havia presenciado nessa era futura. O espaço todo estava tomado pela luz brilhante como o dia, por causa do reflexo do fogo. No centro, havia um pequeno outeiro, ou um pequeno morrinho, cercado por espinhos ressecados. Além dele, estava outro braço da floresta em chamas, com suas línguas amarelas desfigurando o que viam pela frente, cercando completamente o espaço como um anel de fogo. Na subida da colina, havia uns trinta ou quarenta Morlocks, abismados com a luz e o calor, tropeçando uns sobre os outros de vez em quando em seu arrebatamento. A princípio, não notei a cegueira deles e comecei a golpeá-los ferozmente com minha barra de ferro, em um frenesi histérico, conforme eles se aproximavam, matando um e aleijando muitos outros. Porém, quando vi um deles gesticulando para os demais, enquanto apalpava por baixo dos espinhos contra o céu vermelho, e ouvi seus gemidos, convenci-me de que estavam completamente indefesos devido ao clarão, e assim não os ataquei mais.

"No entanto, de vez em quando, um deles vinha completamente aterrorizado em minha direção, tornando-se fácil evitá-lo. Por um momento, as chamas de certa forma diminuíram e temi que as criaturas vis conseguissem ver-me. Estava prestes a reiniciar minha luta e matar alguns deles antes de isso acontecer; mas o fogo irrompeu ainda mais forte e refreei minhas intenções. Andei pela colina próximo deles, mas evitando-os, procurando qualquer sinal do paradeiro de Weena. Porém Weena não estava entre eles.

"Por fim, sentei-me no alto do pequeno outeiro e observei aquela estranha e absurda companhia de coisas cegas tateando de um lado para o outro, fazendo sons nefastos entre si, enquanto o fulgor do fogo as atingia. A fumaça serpenteou em direção aos céus, e, através de raros e esfarrapados intervalos daquele dossel vermelho, brilhavam algumas estrelas, embora tão longe que pareciam pertencer a outro universo. Dois ou três Morlocks vieram desnorteados em minha direção e afastei-os com meus punhos, tremendo ao fazê-lo.

"A maior parte da noite fiquei me convencendo de que tudo se tratava de um pesadelo. Belisquei-me e gritei com a maior vontade de acordar. Bati no chão com minhas mãos, levantei-me e sentei-me de novo, perambulei para um lado e para o outro e sentei-me outra vez. Então, comecei a esfregar os olhos, pedindo a Deus que me fizesse acordar. Por três vezes vi os Morlocks baixarem as cabeças como se em agonia e correrem em direção às chamas. Mas, finalmente, por cima do vermelho do fogo que começara a ceder, por cima das nuvens negras de fumaça e dos troncos de árvore enegrecidos e esbranquiçados, por cima do decrescente número daquelas sombrias criaturas, surgia o primeiro raiar luminoso do dia.

"Procurei novamente por qualquer sinal de Weena, mas não encontrei nenhum. Era claro que haviam deixado seu pobre e delicado corpo na floresta. Não consigo descrever o quão aliviado fiquei em saber que tinha escapado daquele terrível destino que a esperava. Enquanto pensava nisso, estava prestes a massacrar aquelas abominações indefesas à minha volta, mas contive-me. O outeiro, como já lhes disse, era como uma ilha na floresta. De seu cume, eu conseguia enxergar, através da nuvem de fumaça, o Palácio de Porcelana Verde, e dali consegui orientar-me até a Esfinge Branca. E assim, deixando o restante dessas almas condenadas vagando e gemendo de um lado para o outro, conforme o dia clareava, amarrei um pouco de grama em meus pés e fui mancando por entre as cinzas fumegantes e os galhos enegrecidos, ainda em brasa, em direção ao esconderijo de minha Máquina do Tempo. Andei devagar, pois estava praticamente exausto, assim como coxo, e senti um imenso desespero pela horrível morte da pequena Weena. Era uma calamidade sufocante. Agora, nesta velha sala que me é tão familiar, é mais como a tristeza após um sonho do que uma perda real. Mas, naquela manhã, senti-me absolutamente sozinho de novo, terrivelmente só. Comecei a me lembrar desta minha casa, desta lareira, de alguns de vocês, e com tais recordações veio uma saudade tão grande, que doía.

"Mas, enquanto andava por sobre as cinzas fumegantes, sob o céu brilhante da manhã, fiz uma grande descoberta. No bolso de minha calça, havia ainda alguns fósforos. Deviam ter caído da caixa um pouco antes de perdê-la."

CAPÍTULO 13
A ARMADILHA NA ESFINGE BRANCA

— Por volta das oito ou nove da manhã, cheguei ao mesmo pedestal de metal amarelo do qual vislumbrei o mundo na noite de minha chegada. Lembrei-me de minhas considerações precipitadas naquela noite e não consegui segurar meu escárnio por aquela minha confiança. Ali seguia a mesma bela vista de antes, a mesma folhagem abundante, os mesmos palácios esplêndidos e ruínas magníficas, o mesmo rio prateado fluindo por suas margens férteis. As túnicas alegres daquelas pessoas belas moviam-se por todo o lado entre as árvores. Alguns se banhavam no mesmo local de onde resgatei Weena, e aquilo, de repente, provocou-me uma horrível pontada de dor. E, como manchas na paisagem, surgiam as cúpulas que levavam ao Mundo Subterrâneo. Eu agora compreendia o que toda aquela beleza das pessoas do Mundo Superior significava. Seus dias eram muito agradáveis, tão agradáveis quanto os de um rebanho no campo. Como o rebanho, não conheciam inimigos, tampouco tinham necessidades para serem atendidas. E seu fim era o mesmo.

"Lastimei quão breve fora o sonho do intelecto humano. Este havia se suicidado. Avançara aos poucos em direção ao conforto e às facilidades, uma sociedade equilibrada, com segurança e perpetuidade como palavras de ordem, para enfim alcançar seus objetivos e, no fim, chegar a isso. Um dia, a vida e a propriedade chegaram ao ponto de atingir uma segurança quase absoluta. Os ricos enfim seguros com suas riquezas e confortos, os trabalhadores seguros com suas vidas e trabalhos. Sem dúvidas, naquele mundo perfeito não havia mais problemas de desemprego, nenhuma questão social a ser resolvida. E assim um grande silêncio se seguiu.

"Trata-se de uma lei na natureza que negligenciamos: a versatilidade intelectual é uma compensação por mudanças, perigos e problemas. Um animal em perfeita harmonia com seu meio é um mecanismo perfeito. A natureza jamais apela para a inteligência até o costume e o instinto tornarem-se completamente inúteis. Não há inteligência quando não há mudança ou necessidade de mudança. Os únicos animais a desenvolverem a inteligência são aqueles que precisaram atender a uma série de necessidades e perigos.

"Então, a meu ver, os homens do Mundo Superior haviam se desviado para essa beleza frívola, e os do Mundo Subterrâneo voltaram-se a uma industrialização mecânica. No entanto, aquele estado perfeito havia perdido um ponto para atingir a perfeição, a perpetuidade absoluta. Aparentemente, com o passar do tempo, a alimentação do

Subterrâneo, se era ou não efetiva, tornara-se discrepante. A Mãe Necessidade, que havia adormecido por alguns milhares de anos, retornara e começara por baixo. O Subterrâneo, estando em contato com o maquinário, o qual, se aperfeiçoado ou não, ainda necessitava de alguma consideração por força do hábito, provavelmente assegurara de modo mais necessário a iniciativa; embora menos do que qualquer outra característica humana, ainda retiveram mais do que os do Mundo Superior. E, quando outra carne lhes faltou, eles resgataram aquele velho e proibido costume de outrora. Então lhes digo o que vi em minha última observação sobre o mundo no ano de Oitocentos e Dois Mil Setecentos e Um. Pode parecer-lhes uma explicação tão errônea como qualquer mortal seria capaz de inventar. Foi assim que a coisa se moldou a meu ver, e é assim que lhes transmito.

"Após a fadiga, a agitação e os terrores dos últimos dias, além de meu pesar, aquele pedestal, a vista sossegada e a luz do sol eram bem agradáveis. Estava muito cansado e sonolento, e logo minhas ponderações se renderam a um cochilo. Percebendo isso e entendendo minhas próprias deixas, estiquei-me na relva e dormi um longo e revigorante sono.

"Acordei pouco antes do pôr do sol. Agora me sentia seguro de não ser pego dormindo pelos Morlocks e, alongando-me, desci a colina em direção à Esfinge Branca. Tinha a alavanca em uma mão, enquanto com a outra mexia com os fósforos em meu bolso.

"E ali aconteceu a coisa mais inesperada. Conforme me aproximava do pedestal da esfinge, vi que as placas de bronze jaziam abertas. Elas haviam deslizado pelas ranhuras.

"Deparando-me com aquilo, parei, hesitando entrar.

"Lá dentro havia um pequeno aposento, e em um local mais elevado no canto estava a Máquina do Tempo. Eu tinha as pequenas alavancas em meu bolso. Então, ali, depois de todos aqueles elaborados preparativos para meu cerco à Esfinge Branca, deparei-me com uma rendição branda. Joguei minha barra de ferro fora, quase lamentando não poder usá-la.

"Uma ideia repentina acometeu-me enquanto me inclinava para passar pelo portal. Pela primeira vez, por fim, consegui compreender como os Morlocks pensavam. Controlando a irresistível vontade de rir, passei pela estrutura de bronze e fui até a Máquina do Tempo. Surpreendi-me ao ver que ela fora cuidadosamente lubrificada e limpa. Suspeitei, a partir de então, que os Morlocks houvessem tirado algumas peças para tentar, no modo obscuro deles, entender seus mistérios.

"Naquele momento, enquanto a analisava, encontrando um certo prazer ao simplesmente tocar o dispositivo, aquilo que eu esperava aconteceu. Os painéis de bronze de repente deslizaram para o lugar e se prenderam na estrutura com um clique estridente. Fiquei no escuro, preso. Ao menos, era o que os Morlocks achavam. E disso zombei alegremente.

"Eu já conseguia ouvir suas gargalhadas entredentes conforme vinham em minha direção. Muito calmamente, tentei acender o fósforo. Eu tinha apenas de consertar as alavancas e partir, assim como um fantasma. Mas descuidei-me em uma coisinha. Os fósforos eram daquele abominável tipo que só acende usando a caixinha.

"Podem imaginar como toda a minha calma desapareceu. Os pequenos brutos estavam ao meu redor. Um me tocou. Dei um golpe com as alavancas, empurrando-os no escuro, e comecei a subir com dificuldade no assento da máquina. Então, senti uma mão sobre mim, depois outra. Depois, tive de simplesmente lutar contra aqueles dedos tenazes sobre minhas alavancas, enquanto ao mesmo tempo buscava pelos pinos em que elas se encaixavam. Na verdade, quase me levaram uma. Ao escorregar da minha mão, tive de mergulhar de cabeça no escuro para recuperá-la – nisso até consegui ouvir o badalar da cabeça de um Morlock. Esse último embate, creio eu, foi algo mais próximo do que aquela luta na floresta.

"Não obstante, consegui, por fim, consertar a alavanca e puxá-la. As mãos pegajosas soltaram-me. A escuridão caiu sobre meus olhos. Deparei-me novamente com aquela mesma tormenta de luz acinzentada que já lhes descrevi."

CAPÍTULO 14
UM FUTURO AINDA MAIS DISTANTE

—Já lhes falei sobre as náuseas e tonturas que resultam de viajar no Tempo. E, desta vez, eu não estava sentado de forma apropriada no assento, mas um pouco de lado, de modo muito instável. Por um tempo indeterminado, segurei-me à máquina conforme ela girava e vibrava; estava bem desleixado e, quando consegui finalmente olhar os marcadores, fiquei abismado ao descobrir aonde tinha chegado. Um dos marcadores registrava os dias; outro, alguns milhares de dias; outro, uns milhões de dias; e um outro, uns milhares de milhões. Agora, em vez de ter invertido a posição das alavancas, eu as acabei puxando para avançar ainda mais com a máquina e, quando olhei para os indicadores, percebi que o ponteiro dos milhares rodava tão rápido quanto o ponteiro dos segundos em um relógio.

"Enquanto prosseguia, uma mudança peculiar ocorria lentamente ao meu redor. O cinza titilante ficava cada vez mais escuro; então, embora ainda estivesse viajando em uma velocidade absurda, a sucessão cintilante entre dia e noite, que geralmente indicava um ritmo mais vagaroso, retornou e ficou cada vez mais acentuada. A princípio, isso me intrigou muito. A alternância entre noite e dia ficou cada vez mais lenta, assim como a passagem do sol pelo céu, até tal movimento parecer estender-se por séculos. Por fim, um crepúsculo incessante pairou sobre toda a Terra, sendo irrompido apenas quando um cometa riscava o céu sombrio. O cintilar luminoso indicava que o sol havia muito desaparecera; pois o sol deixou de se pôr – ele simplesmente nasceu e desceu para o oeste, e sua luz ficou mais ampla e vermelha. Não havia mais vestígio da lua. Por fim, um pouco antes de parar, o sol vermelho e muito grande cessou seu movimento no horizonte, seu domo enorme brilhando com um calor insípido e, vez ou outra, em entrave contra sua extinção iminente. Por uma vez brilhou um pouco mais intenso, mas logo retomou seu obstinado calor avermelhado. Notei, por essa desaceleração de sua ascensão e descida, que não havia mais controle sobre as marés. A Terra veio a repousar com uma face virada ao sol, do mesmo modo como a lua em nosso tempo, virando sua face iluminada para a Terra. Com muito cuidado, recordando-me de minha última queda, comecei a reverter meu movimento. Cada vez mais vagarosamente, os ponteiros giravam, até o ponteiro dos milhares ficar inerte e o indicador dos dias não ser mais um mero borrão. Segui cada vez mais devagar, até os contornos sombrios de uma praia deserta ficarem discerníveis.

"Parei com muita cautela e sentei-me na Máquina do Tempo, analisando meus arredores. O céu não era mais azul. No nordeste, o céu estava preto como tinta, e por meio daquela escuridão algumas estrelas brilhavam pálidas, incessantemente. No alto, o céu carmesim jazia sem estrelas, e no sudeste o brilho era cada vez mais escarlate, devido ao grande fulgor do inerte invólucro vermelho do sol que repousava no horizonte. As pedras à minha volta tinham uma coloração bem avermelhada, e, de todo indício de vida terrestre, só consegui encontrar, a princípio, uma vegetação extremamente verde, que cobria cada projeção de terra no lado sudeste. Era o mesmo verde opulento que encontramos nos musgos ou nos líquens cavernosos: plantas como essas que vivem sob eterna luz crepuscular.

"A máquina repousou sobre a encosta de uma praia. O mar estendia-se pelo sudoeste até se encontrar abruptamente com o brilhante horizonte do céu lânguido. Não havia ondas ou arrebentações, pois nenhum sopro de vento as agitava. Apenas uma leve e escorregadia ondulação surgia e desaparecia, tão breve como um respiro, para mostrar que o mar infinito ainda se movia e vivia. E, ao longo da extensão de sua margem, onde a água rebentava, havia uma grossa camada de sal encrostado, rosa sob o céu lúgubre. Senti uma pressão sobre minha cabeça e notei como minha respiração tornara-se mais rápida. A sensação ofegante fez-me lembrar de minha única experiência de montanhismo e, portanto, considerei o ar ali mais rarefeito do que é hoje em dia.

"Na parte mais longínqua da encosta, ouvi um grito agudo e vi algo como uma enorme borboleta branca inclinando-se e batendo as asas em direção ao céu, circulando e desaparecendo por alguns morros mais adiante. O som que emitia era tão funesto que me arrepiou e fez-me segurar ainda mais firme em minha máquina. Olhando novamente ao meu redor, vi que, bem perto, o que julguei ser uma pedra avermelhada movia-se vagarosamente em minha direção. Então, notei que a coisa era, na verdade, uma monstruosa criatura semelhante a um caranguejo. Vocês conseguem imaginar um caranguejo tão grande quanto aquela mesa ali, com suas várias pernas movendo-se lenta e desajeitadamente, com suas garras enormes balançando, suas antenas como chicotes tremulando e tocando, e seus olhos vigilantes brilhando para você de ambos os lados de sua carapaça metálica? Suas costas eram enrugadas e ornadas com protuberâncias grosseiras e umas incrustações esverdeadas espalhadas aqui e acolá. Pude notar os diversos palpos de sua boca intricada oscilando e tremulando conforme se movia.

"Ao observar aquela aparição sinistra aproximando-se, senti um roçar em minha bochecha, como se uma mosca tivesse ali pousado. Tentei espantá-la com minha mão, mas não tardou para sentir de novo e imediatamente senti outra em minha orelha. Eu toquei e notei algo como um filamento. Sem tardar, aquilo escapou de minha mão. Com um temível receio, virei-me e vi que havia agarrado a antena de outro caranguejo monstruoso que estava bem atrás de mim. Seus olhos malignos faiscavam em suas órbitas, sua boca salivava de fome, e suas garras enormes e desajeitadas, sujas com algas gosmentas, desciam em minha direção. Em um momento segurei a alavanca e, no outro, distanciei-me por um mês em relação àqueles monstros. Mas permaneci na mesma praia e os vi nitidamente assim que parei. Dúzias deles pareciam rastejar de um lado para o outro, sob aquela lúgubre luminosidade, por entre as folhagens abundantemente verdes.

"Não consigo descrever-lhes a sensação horrível de abandono que caíra sobre o mundo. O céu vermelho no oriente, a escuridão ao norte, o sal do Mar Morto, a praia pedregosa com essas abomináveis criaturas rastejantes, o uniforme e peçonhento verde das plantas liquenáceas, o ar rarefeito que maltratava os pulmões alheios: tudo contribuía para aquele cenário desolador. Eu avancei mais cem anos, e lá estava o mesmo sol vermelho, um pouco maior, mais sombrio, o mesmo mar moribundo, o mesmo vento gélido e a mesma aglomeração de crustáceos terrestres rastejando no meio e fora das folhagens verdes e pedras avermelhadas. E, no lado ocidental do céu, vi uma linha pálida e curva como uma gigantesca lua nova.

"Então viajei, parando vez ou outra, em grandes saltos a cada mais ou menos mil anos, atraído pelo mistério do destino terrestre, vendo com estranha fascinação o sol ficar cada vez maior e mais sombrio no canto mais remoto do oriente e a vida na velha Terra esvair-se até encontrar seu fim. Daqui a mais de trinta milhões de anos, enfim, o grande domo vermelho que fora o sol chegou a consumir quase um décimo de todo o céu enegrecido. Então, parei mais uma vez, pois a plenitude de caranguejos rastejantes havia sumido, e a praia vermelha, com exceção de suas hepáticas e líquens esverdeados, parecia sem vida. Por ora, estava salpicada de branco. Um frio intenso acometeu-me. Raros flocos brancos caíam de vez em quando. A nordeste, o brilho da neve jazia sob as estrelas do céu sombrio, e pude ver os cumes sinuosos dos morros branco-rosados. Havia contornos de gelo por toda a orla do mar com grandes pedaços à deriva; mas aquela grande extensão do oceano, rubro sob aquele infinito entardecer, ainda não havia congelado.

"Olhei à minha volta, à procura de quaisquer indícios de vida animal. Uma certa apreensão indefinível mantinha-me no assento da Máquina. No entanto, não vi nada se mexer na terra, no céu ou no mar. A gosma verde sobre as pedras indicava que a vida não estava completamente extinta. Um banco de areia surgira e a água recuara um pouco da praia. Imaginei ter visto algum objeto preto deslocando-se sobre o banco, mas ficou imóvel assim que olhei, então compreendi que meus olhos pregaram-me uma peça e que o objeto preto que eu vira era apenas uma pedra. As estrelas no céu estavam ainda mais brilhantes, mas pareciam-me cintilar bem menos.

"De repente, notei que o contorno circular do sol havia mudado; aquela concavidade, uma reentrância, aparecera na curva. Vi ficar cada vez maior. Talvez por um minuto, fiquei olhando consternado essa sombra despontar no decorrer do dia, e então concluí tratar-se de um eclipse. Ou era a lua, ou o planeta Mercúrio obscurecendo o disco solar. Naturalmente, a princípio, achei ser a lua, mas há muito o que se considerar para enfim crer ter visto o trânsito de um planeta interno passando muito próximo à Terra.

"A escuridão aumentou consideravelmente; um vento gelado começou a soprar em rajadas revigoradas vindo do leste, e a precipitação dos flocos brancos aumentou. Da beira do mar vieram uma onda e um sussurro. Além desses sons sem vida, o mundo estava quieto. Quieto? Seria difícil transpor aquele silêncio. Todos os sons da humanidade, os balidos das ovelhas, os cantos dos pássaros, o zunir dos insetos, aquela agitação que compõe o pano de fundo de nossas vidas, tudo se findara. À medida que a escuridão ficava mais densa, os flocos turbulentos ficavam mais abundantes, dançando diante de meus olhos; o frio, cada vez mais intenso. Por fim, um a um, celeremente, um após o outro, os picos brancos das longínquas colinas desapareceram na escuridão. A brisa avultou-se em um vento uivante. Vi a sombra central do eclipse obscurecer tudo em minha direção. Logo depois, somente as estrelas pálidas estavam visíveis. Todo o resto entregou-se ao escuro. O céu estava absolutamente preto.

"Senti enfim o pavor daquela grande escuridão. O frio, que gelava os ossos, e a dor que sentia ao respirar subjugaram-me. Tremi, e um enjoo mortal acometeu-me. Então, como um arco vermelho vivo no céu, o sol ressurgiu. Saltei da máquina para me recuperar. Senti-me tonto e incapaz de prosseguir com minha jornada de volta. Enquanto estive lá passando mal e confuso, vi novamente aquela coisa mover-se sobre aquele banco de areia e, naquela hora, tive certeza de que se movera contra as águas vermelhas do mar. Era uma coisa redonda, do tamanho talvez de uma bola de futebol, ou até maior, com tentáculos saindo dela; parecia ser preta, contrastando com as águas rubras, e pulava espasmodicamente por sobre elas. Senti então que eu poderia desmaiar. Mas um pavor terrível de ficar sozinho e desamparado naquele crepúsculo horrível e remoto deu-me forças suficientes para subir novamente no assento da Máquina."

CAPÍTULO 15
O RETORNO DO VIAJANTE DO TEMPO

— E assim eu voltei. Por um bom tempo, devo ter me entorpecido com a Máquina. A sucessão intermitente de dias e noites retornou, o sol voltou ao seu brilho dourado, o céu voltou ao azul. Respirei com mais liberdade. Os contornos ondulantes da terra surgiam e desciam. Os ponteiros giravam para trás em seus indicadores. Até que, enfim, vi novamente as sombras escuras de casas, evidências da humanidade decadente. Essas também mudaram, passaram e outras surgiram. Quando o indicador do milhão zerou, reduzi a velocidade. Comecei a reconhecer nossa bela e familiar arquitetura; o ponteiro dos milhares voltou ao seu ponto de partida, o dia e a noite alternavam-se cada vez mais devagar. Então, as velhas paredes do laboratório voltaram a me rodear. Com muito cuidado, reduzi ainda mais a velocidade do mecanismo.

"Vi apenas uma coisinha que me chamou a atenção. Acredito que lhes tenha contado que, quando parti, antes de a velocidade aumentar demais, a Sra. Watchett tinha atravessado o ambiente, pelo que me parecia, como um raio. Quando retornei, passei novamente por aquele momento em que ela se deslocou por meu laboratório. Mas, agora, seus movimentos pareceram ser exatamente o oposto dos anteriores. A porta da extremidade inferior abriu-se e ela deslizou silenciosamente pelo laboratório, de volta pelo caminho que percorrera, desaparecendo por trás da porta pela qual adentrara no início. Antes disso, pensei também ter visto Hillyer; mas ele passou como um foguete.

"Então parei a máquina e vi-me novamente em meu velho laboratório, minhas ferramentas, meus equipamentos do jeito que os deixara. Abandonei a coisa bem cambaleante e sentei-me à minha bancada. Por vários minutos, tremi violentamente. Então me acalmei. À minha volta, estava minha velha oficina, do jeito que sempre foi. Eu poderia ter dormido ali e a coisa toda ter sido um sonho.

"Mas não fora bem assim! A coisa toda começara no canto sudeste do laboratório. E agora repousava no canto noroeste, contra a parede que vocês viram. Isso mostra a distância exata de minha pequena relva ao pedestal da Esfinge Branca, para onde os Morlocks levaram a minha máquina.

"Por um momento, meu cérebro estagnou. Levantei-me e atravessei a passagem para cá, mancando, porque meu calcanhar ainda doía e eu estava me sentindo completamente imundo. Encontrei uma edição do *Pall Mall Gazette* na mesa ao lado da porta. Percebi que a data era a mesma de hoje e, olhando para o relógio, vi a hora e já eram quase oito da noite. Ouvi suas vozes e o tilintar dos pratos. Hesitei, pois me sentia fraco e enjoado. Então, sentindo o cheiro da carne assada, abri a porta para encontrá-los. Vocês já sabem o resto. Banhei-me, jantei e agora lhes estou contando a história."

CAPÍTULO 16
APÓS A HISTÓRIA

— Eu sei – disse ele após uma pausa – que tudo isso lhes parece inacreditável, mas, para mim, o mais inacreditável é estar aqui nesta noite, neste aposento que me é tão familiar, olhar para esses rostos amigos e contar-lhes essas estranhas aventuras.

Ele olhou para o Médico e continuou:

— Não. Eu não espero que acreditem. Podem achar que é uma mentira, ou uma profecia. Digamos que dormi em minha oficina. Imaginem que eu estive especulando sobre o futuro de nossa raça até conceber essa ficção. Considerem a minha asserção sobre essa verdade como um mero ardil artístico para realçar seu interesse. E, tomando-a como uma história fantástica, o que vocês me dizem sobre ela?

Ele pegou seu cachimbo e começou, à sua velha maneira, a bater nervosamente contra as grelhas da lareira. Houve um silêncio momentâneo. Então cadeiras começaram a ranger e sapatos a roçar sobre o tapete. Tirei meus olhos do rosto do Viajante do Tempo e olhei para seus ouvintes. Todos estavam no escuro, e pequenos pontos de cor nadavam diante deles. O Médico parecia absorto, contemplando nosso anfitrião. O Editor olhava atentamente a ponta de seu charuto, o sexto. O Jornalista procurou por seu relógio. Os demais, até onde posso lembrar, permaneceram imóveis.

O Editor levantou-se com um suspiro.

– É uma pena você não ser um escritor de histórias! – disse ele, colocando a mão sobre o ombro do Viajante do Tempo.

– Você não acredita?

– Olhe...

– Presumo que não.

O Viajante do Tempo virou-se para nós.

– Onde estão os fósforos? – pediu ele. Acendeu um e falou por sobre seu cachimbo, soltando a fumaça. – Para falar a verdade... a mim mesmo custa acreditar... e ainda assim...

Seus olhos caíram, com uma pergunta silenciosa, sobre as murchas flores brancas que repousavam sobre a mesa. Então, ele virou a mão que segurava o cachimbo e vi que observava algumas cicatrizes parcialmente sanadas nos nós de seus dedos.

O Médico levantou-se, aproximou-se da lamparina e analisou as flores.

– O gineceu dela é estranho – observou ele. O Psicólogo inclinou-se para ver e esticou a mão para pegar um espécime.

– Macacos me mordam se já não vai dar uma hora – exclamou o Jornalista. – Como faremos para ir para casa?

– Há muitos táxis na estação – respondeu o Psicólogo.

– É algo curioso – analisava o Médico –, eu certamente não entendo a ordem natural dessas flores. Posso ficar com elas?

O Viajante do Tempo hesitou.

– Obviamente que não – respondeu abruptamente.

– Onde você realmente as encontrou? – pressionou o Médico.

O Viajante do Tempo pôs a mão na cabeça. Ele falava como alguém que tentava manter o raciocínio sobre uma ideia que lhe escapava.

– Elas foram colocadas em meus bolsos por Weena, quando viajei no Tempo. – Ele olhou ao redor da sala. – O diabo que me carregue se isso tudo não está acontecendo. Este aposento, vocês e esta atmosfera rotineira são muito para minhas lembranças. Eu fiz mesmo uma Máquina do Tempo, ou um modelo de uma Máquina do Tempo? Ou foi tudo um sonho? Dizem que a vida é um sonho, um sonho precioso e miserável às vezes, mas não suportarei outro sem sentido. É loucura. E de onde esse sonho veio?... Eu devo dar uma olhada na Máquina. Isso se houver uma!

Ele pegou a lamparina às pressas e levou-a, com seu brilho vermelho, através da porta, em direção ao corredor. Nós o seguimos. Lá, iluminada pela tremeluzente luz da lamparina, estava decerto a Máquina, atarracada, feia e torta, uma mistura de cobre, ébano, marfim e um brilho translúcido de quartzo. Sólida ao toque, pois pus minha mão e senti alguns de seus mainéis, com pontos e manchas marrons sobre o marfim, pedaços de grama e musgo nas partes mais baixas, e um mainel inclinado e torto.

O Viajante do Tempo posicionou a lamparina na bancada e passou a mão ao longo do mainel danificado.

– Está tudo bem agora – disse. – A história que lhes contei é real. Desculpem-me por tê-los trazido aqui neste frio. – Levantou a lamparina e, em absoluto silêncio, retornamos para a sala de fumo.

Ele voltou para o saguão conosco e ajudou o Editor com seu casaco. O Médico olhou em seu rosto e, com certa hesitação, disse-lhe que estava trabalhando demais, o que o fez rir imensamente. Lembro-me de ele parar, em frente à porta aberta, gritando-nos boa-noite.

Eu dividi um táxi com o Editor. Ele achava que a história contada era uma "mentira gritante". De minha parte, fui incapaz de chegar a alguma conclusão. A história era tão fantástica e incrível, e sua narrativa tão crível e razoável. Passei a maior parte da noite acordado, pensando nela. Estava decidido a me encontrar com o Viajante do Tempo no dia seguinte. Lá, disseram-me que estava em seu laboratório, e, como eu já era de casa, fui atrás dele. O laboratório, no entanto, estava vazio. Contemplei a Máquina do Tempo por um momento, estiquei a mão e toquei sua alavanca. Com isso, aquela massa atarracada de aparência substancial balançou como se fosse um ramo sacudido pelo vento. Sua instabilidade assustou-me muitíssimo e tive aquela impressão de quando somos crianças e tocamos em algo que nos é proibido. Voltei pelo corredor. O Viajante do Tempo encontrou-me na sala de fumo. Ele estava vindo da casa. Tinha uma pequena câmera sob um braço e uma sacola sob o outro. Riu ao me ver e cumprimentou-me com o cotovelo.

– Estou terrivelmente ocupado – explicou ele – com aquela coisa ali.

– Mas não é apenas um truque? – questionei. – Você realmente viaja no Tempo?

– Sim, eu realmente viajo no Tempo. – Ele olhou sinceramente em meus olhos. Hesitou. Os olhos rondaram a sala. – Eu só quero meia hora – prosseguiu. – Sei por que você veio, e isso é ótimo. Há algumas revistas aqui. Se você ficar para o almoço, poderei provar-lhe que realmente é possível viajar no Tempo, com espécimes e tudo. Se você me der licença agora...?

Consenti sem entender completamente o que me havia dito, e ele assentiu e partiu corredor afora. Ouvi a porta do laboratório bater, sentei-me em uma cadeira e peguei um jornal para ler. O que ele faria antes do almoço? Então, lendo uma propaganda, lembrei-me de um compromisso que tinha com Richardson, um editor, às duas. Olhei para meu relógio e percebi que poderia perder a hora. Levantei-me e fui atrás do Viajante do Tempo para avisar-lhe.

Quando segurei a maçaneta da porta, ouvi uma algazarra, estranhamente interrompida por um clique e um estrondo. Uma rajada de vento sobressaltou-me quando abri a porta, e lá de dentro veio o som de cacos de vidro caindo no chão. O Viajante do Tempo não estava lá. Pensei ter visto uma figura fantasmagórica e indiscernível sentada em um giro de massa preta e acobreada, uma figura tão transparente que deixa absolutamente visível a bancada com seus esquemas desenhados atrás; porém, tal fantasma sumira quando esfreguei meus olhos. A Máquina do Tempo desaparecera. Exceto por um agito de poeira que amainava, a outra extremidade do laboratório estava vazia. Um painel da claraboia aparentemente acabara de explodir.

Senti um maravilhamento inexplicável. Sabia que algo estranho tinha acontecido, e por um momento não consegui determinar o quê. Enquanto fiquei olhando, a porta do jardim se abriu e um empregado apareceu.

Nós nos entreolhamos. Então ideias começaram a fervilhar.

– O senhor... saiu por aí? – indaguei.

– Não, senhor. Ninguém saiu por aqui. Estava esperando encontrá-lo aqui.

Com isso compreendi. Embora arriscando-me a decepcionar Richardson, fiquei por lá, aguardando o Viajante do Tempo; esperando uma nova história, talvez ainda mais estranha, e os espécimes e fotografias que ele traria consigo. Mas começo agora a pensar que terei de esperar uma vida toda. O Viajante do Tempo desapareceu há três anos. E, como todos agora sabem, ele jamais retornou.

EPÍLOGO

Podemos somente conjecturar. Será que ele voltará algum dia? Talvez ele tenha sido arrastado para o passado e se deparado em meio aos selvagens peludos e sanguinários da Idade da Pedra Lascada; ou nos abismos do Mar Cretáceo, ou entre os sáurios grotescos, os reptilianos enormes das eras jurássicas. Ele pode, inclusive, agora mesmo, se me é possível tal colocação, estar vagando por algum recife oolítico, sendo caçado por um plesiossauro, ou além dos mares salinos e abandonados do Período Triássico. Ou será que ele foi para o futuro, para alguma das eras mais próximas, nas quais os homens ainda são homens, mas com os questionamentos de nosso tempo atendidos e com seus problemas extenuantes resolvidos? Sobre a humanidade da raça: eu, sinceramente, não consigo pensar que aqueles últimos dias de frágil experimentação, teoria fragmentada e disparidade mútua são de fato o destino final do homem! Digo isso por mim mesmo. Ele, eu sei, pois discutimos essa questão antes mesmo de criar a Máquina do Tempo, acreditava apaticamente no Avanço da Humanidade e via no crescente espólio da civilização apenas um tolo amontoado que inevitavelmente proporcionaria sua queda e destruiria seus criadores no fim. Se for realmente assim, só nos resta vivermos como se não fosse. Pois, para mim, o futuro ainda é uma tela em branco, é algo completamente desconhecido, iluminado em poucos lugares específicos pelas recordações de sua história. E tenho comigo, para meu alento, duas estranhas flores brancas, agora murchas, secas, amassadas e quebradiças, para mostrar que, até mesmo quando a inteligência e a força não mais existirem, a gratidão e a ternura mútua ainda residirão no coração do homem.

Compartilhando propósitos e conectando pessoas
Visite nosso site e fique por dentro dos nossos lançamentos:
www.novoseculo.com.br

facebook/novoseculoeditora
@novoseculoeditora
@NovoSeculo
novo século editora

gruponovoseculo
.com.br

Edição: 1
Fonte: Adelle